中国全図

乌鲁木齐
Wūlǔmùqí
新疆维吾尔自治区
Xīnjiāng Wěiwú'ěr Zìzhìqū
甘肃省
Gānsù Shěng
宁夏回族自治区
Níngxià Huízú Zìzhìqū
银川
Yínchuān
青海省
Qīnghǎi Shěng
西宁
Xīníng
兰州
Lánzhōu
西藏自治区
Xīzàng Zìzhìqū
四川省
Sìchuān Shěng
成都
Chéngdū
拉萨
Lāsà
贵州省
Guìzhōu Shěng
贵阳
Guìyáng
云南省
Yúnnán Shěng
昆明
Kūnmíng

黑龙江省
Hēilóngjiāng Shěng
哈尔滨
Hā'ěrbīn
长春
Chángchūn
吉林省
Jílín Shěng
内蒙古自治区
Nèi-Měnggǔ Zìzhìqū
沈阳
Shěnyáng
辽宁省
Liáoníng Shěng
呼和浩特
Hūhéhàotè
北京市
Běijīng Shì
河北省
Héběi Shěng
天津市
Tiānjīn Shì
太原
Tàiyuán
石家庄
Shíjiāzhuāng
济南
Jǐnán
山西省
Shānxī Shěng
山东省
Shāndōng Shěng
西安
Xī'ān
郑州
Zhèngzhōu
江苏省
Jiāngsū Shěng
陕西省
Shǎnxī Shěng
河南省
Hénán Shěng
安徽省
Ānhuī Shěng
南京
Nánjīng
上海市
Shànghǎi Shì
合肥
Héféi
湖北省
Húběi Shěng
杭州
Hángzhōu
武汉
Wǔhàn
重庆市
Chóngqìng Shì
长沙
Chángshā
浙江省
Zhèjiāng Shěng
南昌
Nánchāng
湖南省
Húnán Shěng
福建省
Fújiàn Shěng
江西省
Jiāngxī Shěng
台北
Táiběi
福州
Fúzhōu
广西壮族自治区
Guǎngxī Zhuàngzú Zìzhìqū
台湾
Táiwān
广东省
Guǎngdōng Shěng
南宁
Nánníng
广州
Guǎngzhōu
香港
Xiānggǎng
澳门
Àomén
海口
Hǎikǒu
海南省
Hǎinán Shěng

本書の音声について

本書で♪マークがついた部分の中国語は、音声データ（MP3）をダウンロードして聞きます。ファイルはZIP形式で圧縮された形でダウンロードされ、無料でご利用いただけます。

吹込み：王京蒂・凌慶成

アクセスについて

◎パソコンから

次のサイトにアクセスします。

http://www.hakuteisha.co.jp/news/n33811.html

◎スマートフォンから

※別途ダウンロードアプリや解凍アプリ（Ｃｌｉｐｂｏｘなど）が必要です。

上記ＵＲＬを直接入力するか、下のＱＲコードでアクセスする。

※デジタルオーディオプレーヤーに転送して聞く場合は、各製品の取り扱い説明書やヘルプ機能によってください。

※各機器と再生ソフトに関する技術的なご質問は、各メーカーにお願いいたします。

※ダウンロードがご不便な場合はCDをお送りします。下記までご連絡ください。

（株）白帝社　電話 03-3986-3271　E-mail:info@hakuteisha.co.jp

新版

中国語 スタンダード

Chinese standard

コミュニケーション編

齋藤匡史・何暁毅・袁麗暉 著

白帝社

新版　中国語スタンダード（コミュニケーション編）目 次

はじめに

ステップⅠ

ステップⅡ

用語説明

生词词组 shēngcí cízǔ	新出単語・語句（意味を含めて必ず予習して覚えてください）
口语会话 kǒuyǔ huìhuà	会話（声を出してよく読んでください）
语法说明 yǔfǎ shuōmíng	文法説明（必ず目を通すこと。分からないことは先生に聞いてください）
课堂练习 kètáng liànxí	授業中練習（先生の指示に従い、隣どうしで練習してください）
死记硬背 sǐjì yìngbèi	暗記（必ず全部暗記すること）
课外作业 kèwài zuòyè	宿題（必ずすること）

はじめに――中国語とはどんなことば？

汉语 Hànyǔ（漢語）

私たちが中国語と呼んでいることばは、中国では“汉语”（漢語）と呼ばれています。それは「漢民族のコトバ」という意味です。“汉语”は悠久の歴史の営みの中、この地域と文化を代表する共用言語として使用されて来たのです。

普通话 pǔtōnghuà

しかし“汉语”自身も多くの方言が存在するため、標準的で規範となる共通語が歴史上たえず模索されてきました。現在私たちが学習するのは、中国大陸で使用され、全世界の中国語学習者が学ぶ、北方方言を基礎とした標準的な“普通话”（共通語）です。

拼音字母 pīnyīn zìmǔ（中国語ローマ字つづり、ピンイン）

“普通话”は、標準音で発音されなければ発話者同士理解できません。そのため漢字の標準字音を表す表音文字が考案され、それが“拼音字母”なのです。このテキストではこれを日本語の「かな」のような働きをするものとして学んでいきます。

简体字 jiǎntǐzì（簡体字）

中国では日本の漢字とは異なった字体の“简体字”が正字として使用されています。

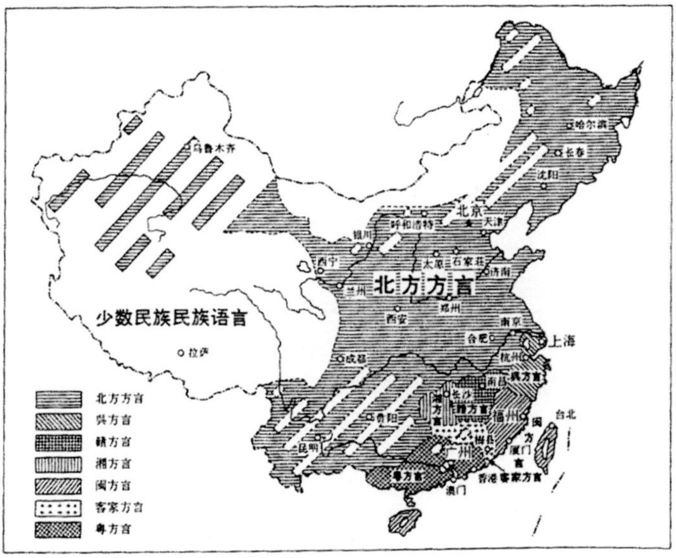

中国の方言

学習を始める前に知ってほしいこと——中国語の主な特徴とは？

①単音節のことば

中国語は「単音節」のことばといわれています。日本語と比較してみましょう。

		日本語	**中国語**
1音節	—	き（樹）、は（葉）	shù（树） yè（叶）
2音節	—	はる（春）、なつ（夏）	chūn（春）xià（夏）
3音節	—	こころ（心）	xīn（心）

同じ意味を表す中国語は、いずれも1音節です。

では「じどうしゃ」はどうでしょう。

4音節	—	じどうしゃ（自動車）	qìchē（汽车）

“qìchē（汽车）”は2音節ですね。しかしこの語は、“qì（汽）”という「気体」を意味する語と“chē（车）”という「くるま」を意味する語が合わさってできた単語です。つまり基本的な意味単位が1音節であり、それが漢字1文字で表されているのです。

②文法がとても簡潔

語が変化したり、他の語に影響を与えたりしません。

英語、日本語と比べてみましょう。

I（私は）*my*（私の）*me*（私を）*mine*（私のもの） －英語は日本語のように助詞がつくのではなく、語自体が変化します。中国語では、“wǒ（我）”（私）は変化しませんし、日本語のような格助詞がありません。

私は君に中国語を教えます	君に中国語を私は教えます
中国語を私は君に教えます	教えます、君に私は中国語を

上の例のように日本語は語順が変わっても、格助詞の働きによって意味は変わりませんが、一方同じ意味の中国語は“我《わたし》— 教《おしえる》—你《あなた》—汉语《かんご》”となり、格助詞がないので語順を変えることができません。

また主語によって述語が変化しません。

I, *you*	—*have*	*he*, *she*, *it*	—*has*	我 你	—有	他 她	—有

動詞に人称、時制、数、態による変化がありません。

give —*gives* —*gave* —*given* —*giving*　给 gěi：我们《わたしたち》 给《あたえる》 你《あなた》 给 她《かのじょ》 给

昨天《きのう》给你　明天《あす》给你　现在《いま》给你

また日本語のような用言変化もありません。

こ／	き／	くる／	くる／	くれ／	こい	来 lái
未然	連用	終止	連体	仮定	命令	

つまり単語の並び方（語順）そのものが文法なのです。

③音の高低に特徴がある

英語のアクセントは強弱です。

ù・ni・vér・si・ty

中国語は強弱アクセントではなく、高低アクセントです。日本語も高低アクセントですが、まったく異なります。

日本語の高低アクセントは、他の音と比べての高低で語を区別します。ピアノ音的であるといわれています。

それに対して中国語の高低アクセントは、その音節に固有の高低アクセントが４種類あります。

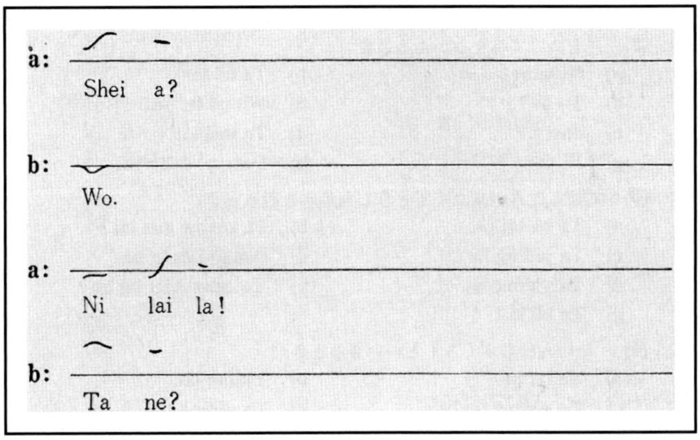

『ローマ字中国語初級』
（倉石武四郎著、岩波書店）より

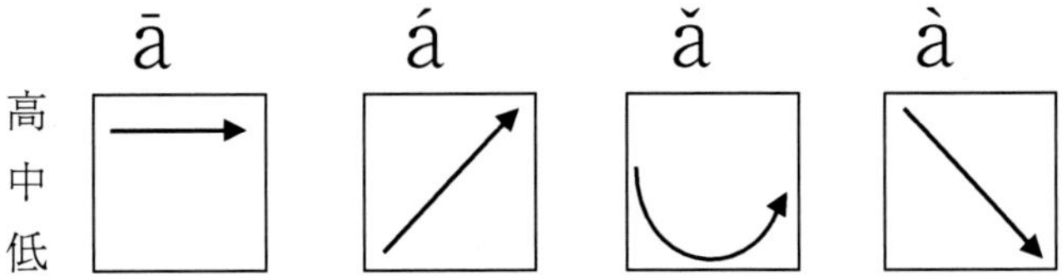

「ma」という音節に４種類のアクセント（「声調」）を示す符号（「声調符号」といいます）をつけて発音します。

mā　　　má　　　mǎ　　　mà

すると次のような漢字で示される語となります。

妈	麻	马	骂
（媽）	（麻）	（馬）	（罵）
おかあさん	あさ	うま	ののしる
第１声	第２声	第３声	第４声

中国語の音節は「子音＋母音＋声調（母音の上）」で示され、１音節は漢字１文字で表され、それが最小の意味のかたまり―つまり単語になっているのです。

この４種類のほかに、本来の声調が消失し、他の声調に軽く添えて発音されるアクセントがあり、これを「軽声」といいます。

māma（妈妈）お母さん　　bàba（爸爸）お父さん　　gēge（哥哥）お兄さん
jiějie（姐姐）お姉さん　　jiǎozi（饺子）餃子

ステップ I

第1课　発音（1）　声調と母音

1．声　調

わたしたちが学習する“普通话”には独特な高低アクセントがあり、これを「声調」といいます。4つあるので「四声」と呼びます。

まず母音“a”で練習しましょう。中国語の“a”は、日本語の「ア」より口を大きく開きやや長めに発音します。

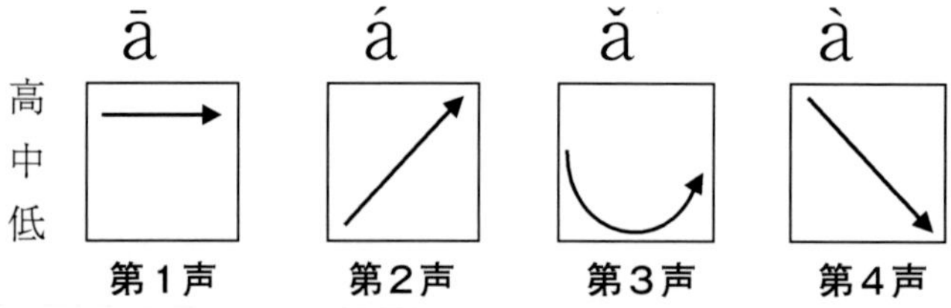

発声のポイント

第1声：普通の声の高さより高く、平らのまま音を続けます。　mā　妈

第2声：声を低い所から急に高く上げます。　má　麻

第3声：声を低くおさえる調子です。　mǎ　马

第4声：高い所から急に低いところへ下げます。　mà　骂

☞このほか本来の声調が消失し、軽くそえるような**「軽声」**があります。
これは符号をつけません。　māma　妈妈

2．母　音　ー　基本の6つの母音

a：　「ア」より口を開いて発音します。

o：　「オ」より口を丸くして発音します。

e：　「エ」の口形で、「オ」を発音する要領で。

i（yi）：「イ」より口を横に引いて発音します。

u（wu）：「ウ」より口をすぼめて発音します。

ü（yu）：「ユ」の口形で「イ」を発音する要領で。

☞（　）**内は、i/u/ü が単独で音節となる場合のつづり方です。**

☞このほか舌をそらして発音する母音があります。

♪05

er :　「エ」を発音した後、舌を上げて「ル」と発音します。

発音してみましょう

ā　á　ǎ　à　　ō　ó　ǒ　ò　　ē　é　ě　è

ī　í　ǐ　ì　　ū　ú　ǔ　ù　　ǖ　ǘ　ǚ　ǜ

ēr　ér　ěr　èr

3. 複母音　ー　単母音が組み合わさった母音

①　口を大きく開く音から口を狭める音へ

♪06

ai　ei　ao　ou

☞ “ei” の “e” は、「エ」に近い音に変わります。

発音してみましょう

āi　ái　ǎi　ài　　ēi　éi　ěi　èi

āo　áo　ǎo　ào　　ōu　óu　ǒu　òu

②　狭い口形の音から口を開く音へ

♪07

ia	ie	ua	uo	üe
(ya)	(ye)	(wa)	(wo)	(yue)

☞ “ie”、“üe” の “e” は、「エ」に近い音に変わります。

☞ (　) 内は、単独で音節となる場合のつづり方です。

発音してみましょう

yā　yá　yǎ　yà　　yē　yé　yě　yè

wā　wá　wǎ　wà　　wō　wó　wǒ　wò

yuē　yué　yuě　yuè

③　口の開き方は、狭い～広い～狭い

♪08

iao	iou	uai	uei
(yao)	(you)	(wai)	(wei)
	＜-iu＞		＜-ui＞

☞ “uei” の “e” は、「エ」に近い音に変わります。

☞（　）内は、単独で音節となる場合のつづり方で、＜＞内は子音に付く場合のつづりかたです。

発音してみましょう

yāo	yáo	yǎo	yào	yōu	yóu	yǒu	yòu
wāi	wái	wǎi	wài	wēi	wéi	wěi	wèi

④ “-n”, “-ng” で終わる母音（鼻母音）

“-n” は舌面が上の歯茎につくが、“-ng” は舌を下げたまま、呼気が鼻に抜ける要領で発音します。

♪ 09

an	ang	ian (yan)	iang (yang)
uan (wan)	uang (wang)	üan (yuan)	ün (yun)
en	eng	in (yin)	ing (ying)
uen (wen) <-un>	ueng (weng)	-ong	iong (yong)

☞（　）内は、単独で音節となる場合のつづり方で、＜＞内は子音に付く場合のつづり方。

発音してみましょう

ān	án	ǎn	àn	āng	áng	ǎng	àng
yān	yán	yǎn	yàn	yāng	yáng	yǎng	yàng
wān	wán	wǎn	wàn	wāng	wáng	wǎng	wàng
yuān	yuán	yuǎn	yuàn	yūn	yún	yǔn	yùn
ēn	én	ěn	èn	ēng	éng	ěng	èng
yīn	yín	yǐn	yìn	yīng	yíng	yǐng	yìng
wēn	wén	wěn	wèn	wēng	wéng	wěng	wèng
yōng	yóng	yǒng	yòng				

第2课　発音（2）　子音

中国語の子音は全部で21種類あります。この内12種類に発音時に息を強く出さない「無気音」、発音時に破裂をともなって強く息が出る「有気音」の区別があります。

無気音	有気音		
b	p	m	f
d	t	n	l
g	k	h	
j	q	x	
zh	ch	sh	r
z	c	s	

【無気音と有気音の違い】

♪10

b（o）　　　　p（o）

b →o　　　　p → 破裂を伴う強い息 → o

☞ 音の強弱や清濁と混同してはいけません。

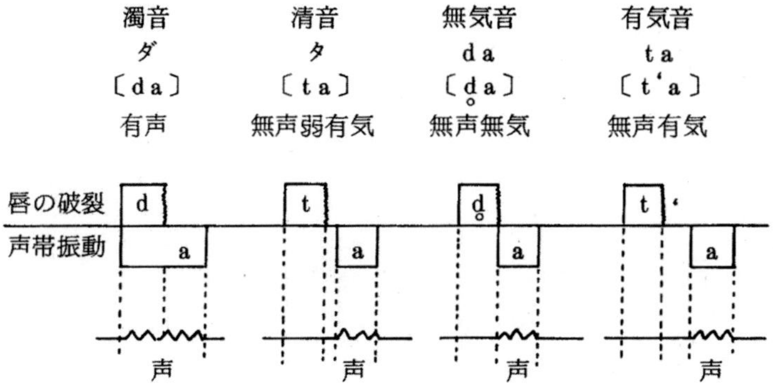

（『中国語の発音』那須清 1983 中国書店）

♪11

b　p　m　f

b　(o) : 上下の唇をつかって音を出します。「バ」でも「パ」でもありません。

p　(o) :「有気音」唇を閉じ、開くと同時に勢いよく息を出します。

m　(o) : 両唇を閉じてから発音します。「モ」に近い音です。

f　(o) : 上の歯を下唇に付けて発音します。英語の「 f 」に近い音。

♪12

発音してみましょう

bō 剥	pō 泼	mō 摸	fó 佛
（剥がす）	（まく）	（撫でる）	（仏）
báo 薄	páo 袍	máo 毛	fú 福
（薄い）	（長衣）	（毛）	（ふく）
bà 爸	pá 爬	mǎ 马	fā 发
（父）	（はう）	（馬）	（出す、配る）
běi 北	péi 赔	měi 美	fēi 飞
（北）	（弁償する）	（美しい）	（飛ぶ）

♪13

d　t　n　l

d（e）:「ドー」に近い音ですが、濁音ではありません。舌先で調音します。

t （e）:「有気音」「トー」に近い音、息を強く出します。

n（e）:「ナー」に近い音、口を大きく開けません。

l （e）: 舌先を上の歯に付けてから、「ロー」に近い音を出します。

♪14

発音してみましょう

dōng 东	tòng 痛	néng 能	lěng 冷
（東）	（痛い）	（できる）	（冷たい、寒い）
dú 读	tú 图	nán 难	lán 蓝
（読む）	（図）	（難しい）	（青）
diàn 电	tiān 天	nián 年	liǎn 脸
（電気）	（空）	（年）	（顔）
dì 地	tī 踢	nǐ 你	lǐ 里
（地面）	（ける）	（あなた）	（中）

♪15

g　k　h

g（e）: 口蓋垂の周りに力を入れて、喉の奥から呼気を出す要領で「コー」。濁音にならないよう注意しましょう

k（e）:「有気音」、“ge” と同じ要領で息を強く出します。

h（e）: 喉の奥を摩擦させ息の音を出して、「ハー」のように発音します。

♪16

発音してみましょう

gē 歌 （歌）	kè 刻 （15分）	hē 喝 （飲む）
guó 国 （国）	kuò 扩 （広げる）	huǒ 火 （火）
gǎi 改 （改める）	kāi 开 （開く）	hǎi 海 （海）
gōng 公 （公の）	kòng 空 （ひま）	hóng 红 （赤い）

♪17

j　q　x

j (i)：舌面と上の歯茎とを使い、息を抑え「ヂー」を発音。濁音にならないよう。

q (i)：「有気音」、“ji” と同じ要領で、息を強く出します。

x (i)：「シ」に近い音です。「スィ」ではありません。

♪18

発音してみましょう

jī 鸡 （ニワトリ）	qī 七 （7）	xī 西 （西）
jiā 家 （家）	qià 恰 （ちょうど）	xiā 虾 （エビ）
jìn 近 （近い）	qín 琴 （琴）	xìn 信 （手紙）

♪19

zh　ch　sh　r

☞**この4つの子音は「そり舌音」とよばれ、舌先を上歯茎に近づけて、舌をスプーン状にして含んだような音を出します。**

zh (i)：舌をそり上げ、息を強く出さずに「ヂー」と発音します。

ch (i)：「有気音」、同様に息を出すように「チー」と発音します。

sh (i)：舌をそり上げ、「シー」と発音します。

r (i)：“sh” の濁音です。

♪20

発音してみましょう

zhū 猪 （ブタ）	chū 出 （出る）	shū 书 （本）	rù 入 （入る）
zhè 这 （これ）	chè 撤 （退く）	shè 射 （射る）	rè 热 （熱い、暑い）
zhōu 粥 （お粥）	chòu 臭 （臭い）	shǒu 手 （手）	ròu 肉 （肉）
zhēn 真 （本当だ）	chén 尘 （ほこり）	shén 神 （神）	rén 人 （ひと）

♪21

z　c　s

z（i）：舌先と上下の歯を使って、口を横に引き、息を強く出さずに「ツー」と発音します。

c（i）：「有気音」、同様に息を強く出して「ツー」と発音します。

s（i）：同様に口を横に引き、「スー」と発音します。

☞ **日本語の「ず zu　つ tu　す su」にならないよう**

♪22

発音してみましょう

zì 字 （文字）	cí 词 （単語）	sì 四 （4）	zāng 脏 （汚い）	cáng 藏 （隠す）	sǎng 嗓 （のど）
zǒu 走 （歩く）	còu 凑 （寄せ集める）	sōu 搜 （探す）	zài 在 （ある、いる）	cài 菜 （料理）	sài 赛 （試合）
zuǐ 嘴 （口）	cuì 脆 （もろい）	suì 岁 （歳）			

第3课　発音（3）　まとめ・発音練習

音節の組み立て

音節 ＝ 声母（子音） 韻母（母音）

声調

	介音	主母音	尾音
j	i	a	o

※声調は主母音につける

声調符号の位置

単母音はその単母音につけ、複母音につける場合は次の順序でつけます。

1．“a” があれば “a” につける。
2．“a” がない場合、“o” か “e” につける。
3．“iu”、“ui” は後ろにつける。
4．“i” につける場合、上の点を取ってつける。

声調変化

声調はいくつかの場合、表記されたものと違った発音になることがあります。

【第３声の変化】

第３声　＋　第３声　⇒　第２声　＋　第３声

♪23

Nǐ hǎo 你好（こんにちは）　　shǒubiǎo 手表（腕時計）

lǎoshǔ 老鼠（ネズミ）　　shǒuzhǐ 手纸（トイレットペーパー）

第３声＋第１、２、４声、軽声　⇒　半３声＋第１、２、４声、軽声

☞「半３声」とは本来の「第３声」を軽く抑えるだけのアクセントです。

♪24 Běijīng 北京（ペキン）　　lǚxíng 旅行（旅行（する））

shǔjià 暑假（夏休み）　　wǒmen 我们（わたしたち）

【否定副詞“不”の変化】

動詞、形容詞、助動詞などを否定する副詞“不 bù”は、常用されるため発音しやすく変化します。

“不 bù ”＋　第4声　⇒　“不 bú ”＋ 第4声

♪25 bú shì 不是（～でない）　bú rè 不热（熱（暑）くない）　bú yào 不要（～するな）

【数詞“一”の変化】

“一 yī”は常用される数字で、後ろに第４声が続くと、第２声に声調が変化し、それ以外の声調が続くと、第４声に変化します。

“一 yī ”＋　第4声　⇒　“一 yí ”＋第4声

♪26 yídìng 一定（必ず）　yíxià 一下（ちょっと）　yíbàn 一半（半分）

“一 yī ”＋　第1、2、3声　⇒　“一 yì ”＋第1、2、3声

♪27 yìxiē 一些（少し）　yìnián 一年（一年）

yìlǎnbiǎo 一览表（一覧表）　yìbān 一般（一般的に）

☞ **ただし、序数、番号、２桁以上の一の位などは変化しません。**

♪28 一月 一号　yī yuè yī hào（1月1日）　十一个人 shíyī ge rén（十一人）

“r（er）”のつく音節

“ r ”のつく音節は北方方言の特徴です。“ ng ”、“ n ”、“ i ”で終わる音節に“ r ”が付くと、“ ng ”、“ n ”、“ i ”は音が脱落し、発音しません。

♪29

花 huā + 儿 er 花儿 huār（花）

空 kòng + 儿 er 空儿 kòngr（暇）

玩 wán + 儿 er 玩儿 wánr（遊ぶ）

小孩 xiǎohái + 儿 er 小孩儿 xiǎoháir（子供）

軽　声

本来の声調が消失し、他の声調に軽く添えて発音されるアクセントを「軽声」といいます。

♪30

dōngxi 东西（もの）　zhuōzi 桌子（机）　méi guānxi 没关系（だいじょうぶ）

bàba 爸爸（父）　māma 妈妈（母）

発音してみましょう

♪31

① 声調の組合せ

	第１声	第２声	第３声	第４声	軽声
第１声	东京 Dōngjīng （東京）	中国 Zhōngguó （中国）	工厂 gōngchǎng （工場）	吃饭 chī fàn （食事をする）	休息 xiūxi （休憩）
第２声	台湾 Táiwān （台湾）	食堂 shítáng （食堂）	游泳 yóuyǒng （水泳）	盒饭 héfàn （弁当）	馒头 mántou （まんじゅう）
第３声	广州 Guǎngzhōu （広州）	美国 Měiguó （アメリカ）	领导 lǐngdǎo （指導者）	跑步 pǎobù （ジョギング）	饺子 jiǎozi （水餃子）
第４声	汽车 qìchē （自動車）	棒球 bàngqiú （野球）	上海 Shànghǎi （シャンハイ）	汉字 Hànzì （漢字）	告诉 gàosu （伝える）

♪32

② 二重母音

ai :	矮 ǎi （背が低い）	带 dài （身に着ける）	百 bǎi （百）	开会 kāihuì （会議）
ei :	欸 éi （えー）	累 lèi （疲れる）	飞机 fēijī （飛行機）	内科 nèikē （内科）
ao :	到 dào （到着する）	跑 pǎo （走る）	澳门 Àomén （マカオ）	老挝 Lǎowō （ラオス）
ou :	走 zǒu （歩く）	狗 gǒu （イヌ）	欧洲 Ōuzhōu （欧州）	首都 shǒudū （首都）

ia：	鸭	家	牙膏	亚洲	ie：	夜	别人	姐姐	节目
	yā	jiā	yágāo	Yàzhōu		yè	biérén	jiějie	jiémù
	（アヒル）	（家）	（歯磨き粉）	（アジア）		（よる）	（他人）	（姉）	（番組）
ua：	袜子	娃娃	花瓶	西瓜	uo：	我	多	小说	骆驼
	wàzi	wáwa	huāpíng	xīguā		wǒ	duō	xiǎoshuō	luòtuo
	（靴下）	（赤ん坊）	（花瓶）	（すいか）		（わたし）	（多い）	（小説）	（ラクダ）
üe：	月	大学	滑雪	越南					
	yuè	dàxué	huáxuě	Yuènán					
	（月）	（大学）	（スキー）	（ベトナム）					

♪33

③ 三重母音

iao：	药	脚	鸟	学校	iou（iu）：	有	酒	六	留学
	yào	jiǎo	niǎo	xuéxiào		yǒu	jiǔ	liù	liúxué
	（くすり）	（足）	（鳥）	（学校）		（ある）	（酒）	（６）	（留学）
uai：	帅	快	怪	外语	uei（ui）：	喂	贵	最	自来水
	shuài	kuài	guài	wàiyǔ		wèi	guì	zuì	zìláishuǐ
	（スマートだ）	（速い）	（変だ）	（外国語）		（もしもし）	（値段が高い）	（最も）	（水道）

♪34

④ “-n” “-ng”

n：	伞	船	铅笔	时间	电话
	sǎn	chuán	qiānbǐ	shíjiān	diànhuà
	（傘）	（船）	（えんぴつ）	（時間）	（電話）
n＋n：	参观	认真	饭店	人民	云南
	cānguān	rènzhēn	fàndiàn	rénmín	Yúnnán
	（参観・する）	（真剣だ）	（ホテル）	（人民）	（雲南）
n＋ng：	银行	换钱	欢迎	年轻	安静
	yínháng	huàn qián	huānyíng	niánqīng	ānjìng
	（銀行）	（両替・する）	（歓迎・する）	（若い）	（静かだ）
ng：	硬	帮	广州	经济	房子
	yìng	bāng	Guǎngzhōu	jīngjì	fángzi
	（硬い）	（手伝う）	（広州）	（経済）	（家）
ng＋ng：	长江	上网	常常	香港	听懂
	Chángjiāng	shàng wǎng	chángcháng	Xiānggǎng	tīngdǒng
	（長江）	（ネットにアクセスする）	（しばしば）	（ホンコン）	（聞いてわかる）

ng ＋ n ：	请问 qǐngwèn （お尋ねします）	永远 yǒngyuǎn （永遠・に）	房间 fángjiān （部屋）	访问 fǎngwèn （訪問）	省钱 shěngqián （お金を節約する）

♪35

⑤ **無気音と有気音**

b ：	鼻子 bízi （鼻）	病 bìng （病気・になる）	表演 biǎoyǎn （上演・する）	背包 bēibāo （リュックサック）
p ：	盘子 pánzi （皿）	皮鞋 píxié （革靴）	乒乓球 pīngpāngqiú （卓球）	便宜 piányi （安い）
b p ：	跑表 pǎobiǎo （ストップウォッチ）	旁边 pángbiān （側）	不平 bùpíng （不平）	鞭炮 biānpào （爆竹）
d ：	戴 dài （かぶる、かける）	当地 dāngdì （現地）	到达 dàodá （到着・する）	电灯 diàndēng （電灯）
t ：	特别 tèbié （特別）	天气 tiānqì （天気、気候）	同学 tóngxué （学友）	图书馆 túshūguǎn （図書館）
d t ：	当天 dàngtiān （当日）	大厅 dàtīng （ロビー）	电梯 diàntī （エレベーター）	地图 dìtú （地図）
g ：	改革 gǎigé （改革・する）	干净 gānjìng （清潔だ）	高兴 gāoxìng （うれしい）	公共汽车 gōnggòng qìchē （路線バス）
k ：	咖啡 kāfēi （コーヒー）	看病 kàn bìng （診察を受ける）	课本 kèběn （テキスト）	考试 kǎoshì （試験）
g k ：	顾客 gùkè （クライアント）	开关 kāiguān （スイッチ）	港口 gǎngkǒu （港）	赶快 gǎnkuài （急いで）
j ：	鸡蛋 jīdàn （たまご）	教室 jiàoshì （教室）	机场 jīchǎng （空港）	京剧 jīngjù （京劇）

q ：	骑车 qí chē （自転車に乗る）	清楚 qīngchu （はっきりしている）	汽水 qìshuǐ （清涼飲料）	去年 qùnián （去年）
j q ：	机器 jīqì （機械）	郊区 jiāoqū （近郊地区）	加强 jiāqiáng （強化・する）	进去 jìnqù （入って行く）
z ：	杂志 zázhì （雑誌）	自行车 zìxíngchē （自転車）	增加 zēngjiā （増加・する）	足球 zúqiú （サッカー）
c ：	参加 cānjiā （参加・する）	操场 cāochǎng （グラウンド）	厕所 cèsuǒ （トイレ）	词典 cídiǎn （辞典）
z c ：	早操 zǎocāo （朝の体操）	紫菜 zǐcài （海苔）	词组 cízǔ （フレーズ）	错字 cuòzì （誤字）

♪36

⑥ そり舌音

zh ：	照相 zhàoxiàng （写真を撮る）	重要 zhòngyào （重要・だ）	准备 zhǔnbèi （準備・する）	护照 hùzhào （パスポート）
ch ：	差不多 chàbuduō （だいたい）	城市 chéngshì （都市）	衬衫 chènshān （シャツ・ブラウス）	出租汽车 chūzū qìchē （タクシー）
sh ：	商店 shāngdiàn （商店）	身体 shēntǐ （からだ）	事情 shìqing （事柄・用事）	舒服 shūfu （心地良い）
r ：	热情 rèqíng （心がこもっている）	人民币 rénmínbì （人民元）	日本 Rìběn （日本）	容易 róngyì （容易だ）

日常あいさつ言葉

♪37 **人と出会ったら**

你（们）好！ Nǐ(men) hǎo!　ごきげんよう、こんにちは（“你们” 複数に対して）

＊時間帯にかかわらず、使うことができる。

你（们）早！ Nǐ(men) zǎo!　おはようございます

早上好！ Zǎoshang hǎo!　おはようございます

晚上好！ Wǎnshang hǎo!　こんばんは

欢迎你（们）！ Huānyíng nǐ(men)!　いらっしゃいませ

初次见面，请多多关照。Chūcì jiànmiàn, qǐng duōduō guānzhào.

初めまして、よろしくお願いします

♪38 **人と別れる時**

再见！ Zàijiàn!　さよなら

一会儿见！ Yíhuìr jiàn!　また後で

晚安！ Wǎn’ān!　おやすみなさい

慢走！ Màn zǒu!　お気をつけて

♪39 **感謝とお詫び**

谢谢！ Xièxie!　ありがとう

——不用谢！ Bú yòng xiè!　どういたしまして

——不客气。Bú kèqi.　どういたしまして

对不起！ Duìbuqǐ!　すみません

——没关系。Méi guānxi.　大丈夫です

非常抱歉。Fēicháng bàoqiàn.　大変申し訳ないです

请原谅。Qǐng yuánliàng.　お許し下さい

不好意思。Bù hǎoyìsi.　すみません。

韻母／声母	a	o	e	ai	ei	ao	ou	an	en	ang	eng	ong	er	i			ia	ie	iao
														[ɿ]	[ʅ]	[i]			
ゼロ	a	o	e	ai	ei	ao	ou	an	en	ang	eng		er			yi	ya	ye	yao
b	ba	bo		bai	bei	bao		ban	ben	bang	beng					bi		bie	biao
p	pa	po		pai	pei	pao	pou	pan	pen	pang	peng					pi		pie	piao
m	ma	mo	me	mai	mei	mao	mou	man	men	mang	meng					mi		mie	miao
f	fa	fo			fei		fou	fan	fen	fang	feng								
d	da		de	dai	dei	dao	dou	dan	den	dang	deng	dong				di		die	diao
t	ta		te	tai		tao	tou	tan		tang	teng	tong				ti		tie	tiao
n	na		ne	nai	nei	nao	nou	nan	nen	nang	neng	nong				ni		nie	niao
l	la		le	lai	lei	lao	lou	lan		lang	leng	long				li	lia	lie	liao
g	ga		ge	gai	gei	gao	gou	gan	gen	gang	geng	gong							
k	ka		ke	kai	kei	kao	kou	kan	ken	kang	keng	kong							
h	ha		he	hai	hei	hao	hou	han	hen	hang	heng	hong							
j																ji	jia	jie	jiao
q																qi	qia	qie	qiao
x																xi	xia	xie	xiao
zh	zha		zhe	zhai	zhei	zhao	zhou	zhan	zhen	zhang	zheng	zhong			zhi				
ch	cha		che	chai		chao	chou	chan	chen	chang	cheng	chong			chi				
sh	sha		she	shai	shei	shao	shou	shan	shen	shang	sheng				shi				
r			re			rao	rou	ran	ren	rang	reng	rong			ri				
z	za		ze	zai	zei	zao	zou	zan	zen	zang	zeng	zong		zi					
c	ca		ce	cai		cao	cou	can	cen	cang	ceng	cong		ci					
s	sa		se	sai		sao	sou	san	sen	sang	seng	song		si					

音　節　表

ou iu	ian	in	iang	ing	iong	u	ua	uo	uai	uei -ui	uan	uen -un	uang	ueng	ü	üe	üan	ün
ou	yan	yin	yang	ying	yong	wu	wa	wo	wai	wei	wan	wen	wang	weng	yu	yue	yuan	yun
	bian	bin		bing		bu												
	pian	pin		ping		pu												
iu	mian	min		ming		mu												
						fu												
iu	dian			ding		du		duo		dui	duan	dun						
	tian			ting		tu		tuo		tui	tuan	tun						
iu	nian	nin	niang	ning		nu		nuo			nuan				nü	nüe		
iu	lian	lin	liang	ling		lu		luo			luan	lun			lü	lüe		
						gu	gua	guo	guai	gui	guan	gun	guang					
						ku	kua	kuo	kuai	kui	kuan	kun	kuang					
						hu	hua	huo	huai	hui	huan	hun	huang					
iu	jian	jin	jiang	jing	jiong										ju	jue	juan	jun
iu	qian	qin	qiang	qing	qiong										qu	que	quan	qun
iu	xian	xin	xiang	xing	xiong										xu	xue	xuan	xun
						zhu	zhua	zhuo	zhuai	zhui	zhuan	zhun	zhuang					
						chu	chua	chuo	chuai	chui	chuan	chun	chuang					
						shu	shua	shuo	shuai	shui	shuan	shun	shuang					
						ru	rua	ruo		rui	ruan	run						
						zu		zuo		zui	zuan	zun						
						cu		cuo		cui	cuan	cun						
						su		suo		sui	suan	sun						

ステップⅡ

第4课　你是日本人吗？
Dì sì kè　Nǐ shì Rìběnrén ma?

40

生词词组 shēngcí cízǔ

那 nà
是 shì
图书馆 túshūguǎn
吗 ma
这 zhè
食堂 shítáng
不 bù
也 yě
你 nǐ
留学生 liúxuéshēng
我 wǒ
日本人 Rìběnrén
你们 nǐmen
和 hé
他 tā
都 dōu
大学生 dàxuéshēng

口语会话 kǒuyǔ huìhuà

41

1. A：那　是　图书馆　吗？
Nà　shì　túshūguǎn　ma？

B：是，那　是　图书馆。
Shì,　nà　shì　túshūguǎn.

A：这　是　食堂　吗？
Zhè　shì　shítáng　ma？

B：这　不　是　食堂。
Zhè　bú　shì　shítáng.

A：那　是　不　是　食堂？
Nà　shì　bu　shì　shítáng？

B：那　也　不　是　食堂。
Nà　yě　bú　shì　shítáng.

42

2. A：你　是　留学生　吗？
Nǐ　shì　liúxuéshēng　ma？

B：我　不　是　留学生。
Wǒ　bú　shì　liúxuéshēng.

A：你　是　日本人　吗？
Nǐ　shì　Rìběnrén　ma？

B：我　是　日本人。
Wǒ　shì　Rìběnrén.

A：你们　是　不　是　大学生？
Nǐmen　shì　bu　shì　dàxuéshēng？

B：我　和　他　都　是　大学生。
Wǒ　hé　tā　dōu　shì　dàxuéshēng.

语法说明 yǔfǎ shuōmíng

【人称代詞】

我 wǒ （わたし）	你 nǐ （あなた）	他 tā　她 tā （彼、彼女）
我们 wǒmen （わたしたち）	你们 nǐmen （あなたたち）	他们 tāmen　她们 tāmen （彼ら、彼女ら）

【指示代詞】

这 zhè	那 nà	哪 nǎ
これ	それ、あれ	どれ

1．「～は～です」と言うとき―判断する“是 shì”

这　是　食堂。
Zhè　shì　shítáng.

那　是　图书馆。
Nà　shì　túshūguǎn.

我　是　日本人。
Wǒ　shì　Rìběnrén.

这　是　教室。
Zhè　shì　jiàoshì.

＊日本人：日本人　　　教室：教室

・「～は～でない」と否定するとき　―否定の副詞“不 bù”

那　不　是　食堂。
Nà　bú　shì　shítáng.

他　不　是　中国人。
Tā　bú　shì　Zhōngguórén.

＊中国人：中国人

・「～は～ですか」とたずねるとき　―“～是 shì ～吗 ma？”、“是不是 shì bu shì ～？”

你　是　留学生　吗？
Nǐ　shì　liúxuéshēng　ma？

他们　是　你　的　朋友　吗？
Tāmen　shì　nǐ　de　péngyou　ma？

她　是　不　是　你　的　同学？
Tā　shì　bu　shì　nǐ　de　tóngxué？

＊的：～の～　　朋友：友達　　同学：クラスメート

2.「～もまた～」、「～もみな～」と言うとき―副詞“也 yě”、“都 dōu”

她　也　是　日本人。
Tā　yě　shì　Rìběnrén.

你们　都　是　大学生　吗？
Nǐmen　dōu　shì　dàxuéshēng　ma？

3.「～と～」―接続詞　“和 hé”

我、　你　和　他
wǒ、　nǐ　hé　tā

手机　和　电脑
shǒujī　hé　diànnǎo

＊手机：携帯電話　　电脑：パソコン

课堂练习 kètáng liànxí

① 指示代詞による文の読み替え練習

例　Q：这　是　图书馆　吗？
　　　Zhè　shì　túshūguǎn　ma？

　　A：那　是　图书馆。
　　　Nà　shì　túshūguǎn.

Zhè 这 Nà 那	＋	shì 是 bú shì 不是	＋	túshūguǎn 图书馆　shítáng 食堂 jiàoshì 教室　cāochǎng 操场	＊操场：運動場

② 人称代詞による文の読み替え練習

例　Q：你　是　日本人　吗？
　　　Nǐ　shì　Rìběnrén　ma？

　　A：我　不　是　日本人。
　　　Wǒ　bú　shì　Rìběnrén.

Wǒ 我　Tā 他・她 Wǒmen 我们 Tāmen 他们・她们	＋	shì 是 bú shì 不是	＋	Rìběnrén 日本人 liúxuéshēng 留学生 dàxuéshēng 大学生

③ “ma”（吗）による疑問文を作ろう

例 Q：那 是 操场 吗？
Nà shì cāochǎng ma？

A：那 不 是 操场。
Nà bú shì cāochǎng.

Zhè shì 这是 Nǐ shì 你是	＋	túshūguǎn 图书馆 shítáng 食堂 Rìběnrén 日本人 liúxuéshēng 留学生	＋	ma 吗？

④ “shì bu shì”（是不是）による疑問文を作ろう

例 Q：这 是 不 是 图书馆？
Zhè shì bu shì túshūguǎn？

A：这 是 图书馆。
Zhè shì túshūguǎn.

Zhè 这 Nà 那 Nǐ 你 Tā 他・她 Nǐmen 你们 Tāmen 他们・她们	＋	shì bu shì 是不是	＋	túshūguǎn 图书馆 shítáng 食堂 cāochǎng 操场 Rìběnrén 日本人 liúxuéshēng 留学生 dàxuéshēng 大学生	＋	？

♪43

死记硬背 sǐjì yìngbèi

Wǒ shì Rìběnrén.（我是日本人。）

Wǒ hé tā dōu shì Rìběnrén.（我和他都是日本人。）

Zhè yě shì shítáng.（这也是食堂。）

Zhè bú shì túshūguǎn.（这不是图书馆。）

Nǐ shì liúxuéshēng ma？（你是留学生吗？）

Tā shì bu shì liúxuéshēng？（他是不是留学生？）

课外作业 kèwài zuòyè

一、テキスト“死记硬背”部分を暗記しよう。

二、“生词词组”の単語のピンインを覚えよう。

三、次回の授業のため、第5課の“生词词组”を覚えよう。

四、次の文を中国語で言ってみよう。

1. 君は日本人ですか。
2. 君は留学生ですか。
3. 私たちはみんな日本人です。
4. これは図書館ですか。
5. いいえ、これは食堂です。

第5课　您贵姓？

Dì wǔ kè　Nín guìxìng?

♪44

生词词组 shēngcí cízǔ

您 nín
贵姓 guìxìng
免贵 miǎnguì
姓 xìng
叫 jiào
什么 shénme
名字 míngzi
哪 nǎ
国 guó
人 rén
中国人 Zhōngguórén
谁 shéi
朋友 péngyou
字典 zìdiǎn
汉语 Hànyǔ
日语 Rìyǔ

口语会话 kǒuyǔ huìhuà

♪45

1. A：您　贵姓？
Nín　guìxìng ?

B：免贵，我　姓　王。
Miǎnguì, wǒ　xìng　Wáng.

A：你　叫　什么　名字？
Nǐ　jiào　shénme　míngzi ?

B：我　叫　王　云。
Wǒ　jiào　Wáng　Yún.

A：你　是　哪　国　人？
Nǐ　shì　nǎ　guó　rén ?

B：我　是　中国人。
Wǒ　shì　Zhōngguórén.

A：他　是　谁？
Tā　shì　shéi ?

B：他　是　我　的　朋友。
Tā　shì　wǒ　de　péngyou.

♪46

2．A：这　是　什么？
Zhè　shì　shénme？

B：这　是　字典。
Zhè　shì　zìdiǎn.

A：这　是　什么　字典？
Zhè　shì　shénme　zìdiǎn？

B：这　是　汉语　字典。
Zhè　shì　Hànyǔ　zìdiǎn.

A：那　也　是　汉语　字典　吗？
Nà　yě　shì　Hànyǔ　zìdiǎn　ma？

B：不　是。那　是　日语　字典。
Bú　shì.　Nà　shì　Rìyǔ　zìdiǎn.

语法说明 yǔfǎ shuōmíng

1．名前の聞き方、言い方

您　贵姓？——免贵，我　姓______。（苗字）
Nín　guìxìng？——Miǎnguì,　Wǒ　xìng______.

你　叫　什么　名字？——我　叫______。　（フルネーム）
Nǐ　jiào　shénme　míngzi？——Wǒ　jiào______.

2．「何、どんな」“什么 shénme”、「誰、どんな（人）」“谁 shéi”、「どの」“哪 nǎ” 疑問詞の言い方

这　是　什么？　她　是　谁？　你　是　哪　国　人？
Zhè　shì　shénme？　Tā　shì　shéi？　Nǐ　shì　nǎ　guó　rén？

3．「～の」—名詞を修飾する“的 de”

这　是　我　的　铅笔。　他　是　我　的　朋友。　那　是　我　的。
Zhè　shì　wǒ　de　qiānbǐ.　Tā　shì　wǒ　de　péngyou.　Nà　shì　wǒ　de.

北京　的　地图　我们　学校　的　学生
Běijīng　de　dìtú.　Wǒmen　xuéxiào　de　xuésheng.

(!) 親族、所属団体、種類を言う場合“的 de”はふつう省略する

我　哥哥　我们　大学　日本　地图
wǒ　gēge　wǒmen　dàxué　Rìběn　dìtú

＊铅笔：えんぴつ　　北京：ペキン　　地图：地図
学生：学生　　哥哥：兄　　日本：日本

课堂练习 kètáng liànxí

① お互いに名前を聞いてみよう。

例　Q：您　好！　您　贵姓？
Nín hǎo！ Nín guìxìng？

A：免贵，　我　姓　伊藤。
Miǎnguì, wǒ xìng Yīténg.

② 指すものが何であるか聞いてみよう。

例　Q：这　是　什么？　／这　是　不　是　铅笔？
Zhè shì shénme？　Zhè shì bu shì qiānbǐ？
（これは何ですか）　（これは鉛筆ですか）

A：那　是　铅笔。
Nà shì qiānbǐ.
（あれは鉛筆です）

电脑
diànnǎo
（パソコン）

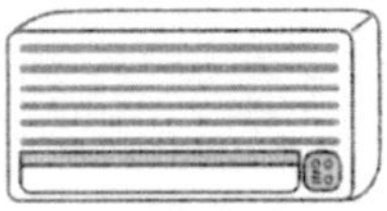

空调
kōngtiáo
（エアコン）

手机
shǒujī
（携帯電話）

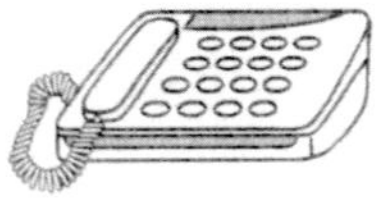

电话
diànhuà
（電話）

自行车
zìxíngchē
（自転車）

提包
tíbāo
（手提げカバン）

文具
wénjù
（文房具）

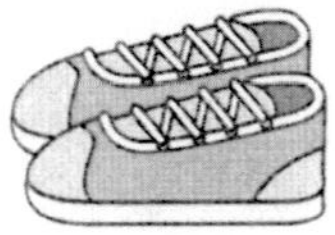

球鞋
qiúxié
（スニーカー）

③ 疑問詞を使って、下の単語に関する疑問文と答えを作ってみよう。

例 Q：他 是 谁？（彼はだれですか）
Tā shì shéi?

A：他 是 老师。（彼は先生です）
Tā shì lǎoshī.

péngyou 朋友	Rìběnrén 日本人	Zhōngguó liúxuéshēng 中国留学生
（友だち）	（日本人）	（中国人留学生）

④ 疑問詞を使って、下の単語に関する疑問文と答えを作ってみよう。

例 Q：这 是 谁 的 铅笔？（これは誰の鉛筆ですか）
Zhè shì shéi de qiānbǐ?

A：这 是 我 的 铅笔。（これは私の鉛筆です）
Zhè shì wǒ de qiānbǐ.

shǒujī 手机	diànnǎo 电脑	zìdiǎn 字典	tíbāo 提包

♪47

死记硬背 sǐjì yìngbèi

Nín guìxìng？(您贵姓？)

Miǎnguì,wǒ xìng______________.（免贵，我姓______________。）

Nǐ jiào shénme míngzi？(你叫什么名字？)

Wǒ jiào______________.（我叫______________。）

Tā shì wǒ de péngyou.（他是我的朋友。）

Zhè shì shénme？（这是什么？）

Zhè shì Hànyǔ zìdiǎn.（这是汉语字典。）

课外作业 kèwài zuòyè

一、テキスト“死记硬背”部分を暗記しよう。

二、“生词词组”の単語のピンインを覚えよう。

三、次回の授業のため、第６課の“生词词组”を覚えよう。

四、次の文を中国語で言ってみよう。

1. お名前は何とおっしゃいますか。
2. 君は中国人ですか。
3. 私は日本人です。
4. 彼は私の友達です。
5. これは辞書です。

第6课　今天 天气 怎么样？

Dì liù kè　Jīntiān tiānqì zěnmeyàng?

♪ 48

生词词组 shēngcí cízǔ

今天 jīntiān
天气 tiānqì
怎么样 zěnmeyàng
很 hěn
好 hǎo
昨天 zuótiān
身体 shēntǐ
最近 zuìjìn
忙 máng
呢 ne
这个 zhège
大学 dàxué
学生 xuésheng
认识 rènshi
高兴 gāoxìng
请 qǐng
多多 duōduō
关照 guānzhào
学习 xuéxí
有意思 yǒu yìsi

口语会话 kǒuyǔ huìhuà

♪ 49

1．A：今天　天气　怎么样？
Jīntiān　tiānqì　zěnmeyàng？

B：今天　天气　很　好。
Jīntiān　tiānqì　hěn　hǎo.

A：明天　天气　怎么样？
Míngtiān　tiānqì　zěnmeyàng？

B：明天　天气　不　好。
Míngtiān　tiānqì　bù　hǎo.

A：你　身体　怎么样？
Nǐ　shēntǐ　zěnmeyàng？

B：我　身体　很　好。
Wǒ　shēntǐ　hěn　hǎo.

A：你　最近　忙　不　忙？
Nǐ　zuìjìn　máng　bu　máng？

B：我　不　很　忙。
Wǒ　bù　hěn　máng.

♪ 50

2. A：你　好！　你　是　留学生　吗？
Nǐ　hǎo!　Nǐ　shì　liúxuéshēng　ma?

B：是　的。　你　呢？
Shì　de.　Nǐ　ne?

A：我　是　这个　大学　的　学生。
Wǒ　shì　zhège　dàxué　de　xuésheng.

B：认识　你　很　高兴。
Rènshi　nǐ　hěn　gāoxìng.

A：我　也　很　高兴。　请　多多　关照。
Wǒ　yě　hěn　gāoxìng.　Qǐng　duōduō　guānzhào.

B：你　认识　王　云　吗？
Nǐ　rènshi　Wáng　Yún　ma?

A：不　认识。
Bú　rènshi.

B：他　很　有　意思。
Tā　hěn　yǒu　yìsi.

语法说明 yǔfǎ shuōmíng

1.「何がどんなだ」―状態、程度、性質を言う形容詞が述語になる言い方

今天　天气　很　好。　　我　今天　很　忙。
Jīntiān　tiānqì　hěn　hǎo.　　Wǒ　jīntiān　hěn　máng.

・否定する言い方

今天　天气　不　好。　　我　今天　不　忙。
Jīntiān tiānqì　bù　hǎo.　　Wǒ　jīntiān　bù　máng.

・状態や程度を聞くとき―"吗 ma"、繰返し型、疑問詞"怎么样 zěnmeyàng"

明天　你　忙　吗？　　明天　你　忙　不　忙？
Míngtiān nǐ　máng　ma?　　Míngtiān　nǐ　máng　bu　máng?

那　本　小说　怎么样？
Nà　běn　xiǎoshuō　zěnmeyàng?

＊本：冊子を数える　　小说：小説

2.「これ、この」、「あれ、あの」、「どれ、どの」－指示代詞

指示代詞	意　味	用　例
这个 zhège	これ、この	这个铅笔　zhège qiānbǐ
那个 nàge	あれ、あの	那个手机　nàge shǒujī
哪个 nǎge	どれ、どの	哪个人　nǎ ge rén
这 zhè ＋量詞※	この～	这支圆珠笔 zhè zhī yuánzhūbǐ
那 nà ＋量詞	あの～	那本书　nà běn shū
哪 nǎ ＋量詞	どの～	哪个东西　nǎ ge dōngxi

※「量詞」 物などを数える単位（詳細は第８課参照）

这个　东西　好　不　好？
Zhège　dōngxi　hǎo　bu　hǎo？

＊人：ひと　　支：棒状のものを数える　　圆珠笔：ボールペン
　书：本、書籍　　东西：品物、もの

3．相手に確認する語気助詞－“呢 ne”

我　身体　很　好，你　呢？
Wǒ　shēntǐ　hěn　hǎo,　nǐ　ne？

4．形容詞の部分否定と全部否定

不　很　冷。　　很　不　冷。
Bù　hěn　lěng.　　Hěn　bù　lěng.

＊冷：寒い、冷たい

课堂练习 kètáng liànxí

① 次の言葉を使い、形容詞述語文で言ってみよう。

例　Q：这个　铅笔　怎么样？（この鉛筆はどうですか）
Zhège　qiānbǐ　zěnmeyàng？

A：这个　铅笔　很　好　用。（この鉛筆はとても使いやすいです）
Zhège　qiānbǐ　hěn　hǎo　yòng.

花・好看
huā・hǎokàn

歌・好听
gē・hǎotīng

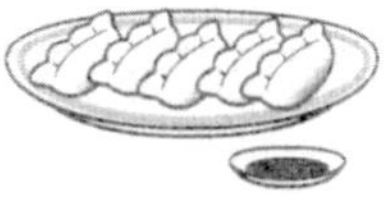

饺子・好吃
jiǎozi・hǎochī

果汁・好喝
guǒzhī・hǎo hē

＊好用：使いやすい　花：花　好看：美しい、きれいだ
歌：歌　好听：美しい、きれい　饺子：餃子　好吃：おいしい
果汁：ジュース　好喝：(飲み物が) おいしい

② "zhège"（这个）を使い、練習しよう。

例　Q：这个　字典　好　不　好？（この辞書は良いですか）
Zhège zìdiǎn hǎo bu hǎo?

A：这个　字典　很　好。（この辞書は良いですよ）
Zhège zìdiǎn hěn hǎo.

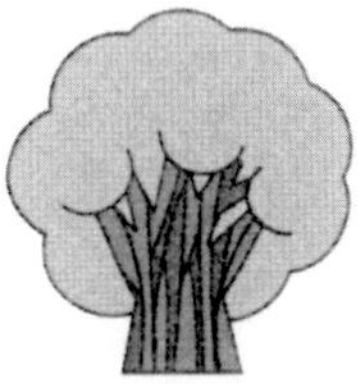

树・大
shù・dà

山・高
shān・gāo

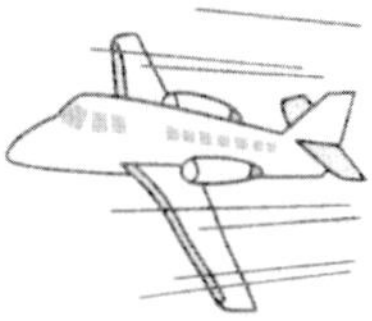

飞机・快
fēijī・kuài

灯・亮
dēng・liàng

＊树：木　大：大きい　山：山　高：高い　飞机：飛行機　快：速い
灯：明かり　亮：明るい

♪51

死记硬背 sǐjì yìngbèi

Jīntiān tiānqì zěnmeyàng？（今天天气怎么样？）

Jīntiān tiānqì hěn hǎo.（今天天气很好。）

Nǐ shēntǐ zěnmeyàng？（你身体怎么样？）

Wǒ shēntǐ hěn hǎo.（我身体很好。）

Nǐ zuìjìn máng bu máng？ (你最近忙不忙？)

Wǒ bù máng.（我不忙。)

Wǒ shì zhège dàxué de xuésheng.（我是这个大学的学生。)

Qǐng duōduō guānzhào.（请多多关照。)

Hànyǔ yǒu yìsi ma？ (汉语有意思吗？)

Hěn yǒu yìsi.（很有意思。)

课外作业 kèwài zuòyè

一、テキスト“死记硬背”部分を暗記しよう。

二、“生词词组”の単語のピンインを覚えよう。

三、次回の授業のため、第７課の“生词词组”を覚えよう。

四、友達と天気や最近の調子などについて中国語で話し合おう。

五、次の文を中国語で言ってみよう。

1. あなたは最近どうですか。
2. 私は忙しいです。
3. 君は中国人留学生ですか。
4. 中国語はあまり難しくないです。（難しい：nán 难）
5. この食堂の料理は全然美味しくないです。（料理：fàn 饭）

第7课　明天你来学校吗？
Dì qī kè　Míngtiān nǐ lái xuéxiào ma?

♪52

生词词组 shēngcí cízǔ

明天 míngtiān
来 lái
学校 xuéxiào
中午 zhōngwǔ
去 qù
哪儿 nǎr
吃饭 chī fàn
一起 yìqǐ
吧 ba
喜欢 xǐhuan
面条 miàntiáo
请问 qǐngwèn
知道 zhīdào
买 mǎi
借 jiè
本 běn
好用 hǎoyòng

口语会话 kǒuyǔ huìhuà

♪53

1. A：明天　你　来　学校　吗？
Míngtiān　nǐ　lái　xuéxiào　ma ?

B：来。　你　呢？
Lái.　Nǐ　ne ?

A：我　也　来。　伊藤　呢？
Wǒ　yě　lái.　Yīténg　ne ?

B：她　也　来。
Tā　yě　lái.

A：中午　你　去　哪儿　吃　饭？
Zhōngwǔ　nǐ　qù　nǎr　chī　fàn ?

B：我们　一起　去　食堂　吃　饭　吧。
Wǒmen　yìqǐ　qù　shítáng　chī　fàn　ba.

A：好　吧。　你　喜欢　吃　什么？
Hǎo　ba.　Nǐ　xǐhuan　chī　shénme ?

B：我　喜欢　吃　面条。
Wǒ　xǐhuan　chī　miàntiáo.

♪54

2．A：请问，　那　是　谁　的　字典？
Qǐngwèn,　nà　shì　shéi　de　zìdiǎn?

B：不　知道。
Bù　zhīdào.

A：这个　呢？
Zhège　ne?

B：这　是　我　的。
Zhè　shì　wǒ　de.

A：这　是　你　买　的　吗？
Zhè　shì　nǐ　mǎi　de　ma?

B：不　是。　这　是　我　借　的。
Bú　shì.　Zhè　shì　wǒ　jiè　de.

A：这　本　字典　怎么样？
Zhè　běn　zìdiǎn　zěnmeyàng?

B：很　好用。
Hěn　hǎoyòng.

语法说明 yǔfǎ shuōmíng

1．「～が～を～する」－動作・行為を言う　主語 ＋ 述語（動詞）＋ 目的語

我　买　东西。　你　去　书店　吗？
Wǒ　mǎi　dōngxi.　Nǐ　qù　shūdiàn　ma?

你　买　不　买　东西？　我　不　去　商店街。
Nǐ　mǎi　bu　mǎi　dōngxi?　Wǒ　bú　qù　shāngdiànjiē.

＊书店：書店　　商店街：商店街

2．「～が、いつ～を～する」　主語 ＋ 状語（時間）＋述語（動詞）＋ 目的語

你　明天　来　学校　吗？　他们　今天　来　大学　吗？
Nǐ　míngtiān　lái　xuéxiào　ma?　Tāmen　jīntiān　lái　dàxué　ma?

＊大学：大学

3．動作・行為が続くとき

我们　去　图书馆　看　书。
Wǒmen qù túshūguǎn kàn shū.

4．動詞＋“的 de”＋（名詞）

这　是　我　看　的 (杂志)。　　这　是　他　上午　买　的 (面包)。
Zhè shì wǒ kàn de (zázhì).　　Zhè shì tā shàngwǔ mǎi de (miànbāo).

＊看：読む、見る　　杂志：雑誌　　上午：午前　　面包：パン

5．「～するのが好きだ」－“喜欢 xǐhuan”

我　喜欢　吃　中国菜。
Wǒ xǐhuan chī zhōngguócài.

＊中国菜：中国料理

【日にち】

前天 qiántiān	昨天 zuótiān	今天 jīntiān	明天 míngtiān	后天 hòutiān
おととい	きのう	きょう	あした	あさって

【時間帯】

早上 zǎoshang	上午 shàngwǔ	中午 zhōngwǔ	下午 xiàwǔ	晚上 wǎnshang
朝	午前	正午・昼	午後	晚・夜

课堂练习 kètáng liànxí

① 何をするかを聞き、答えよう。

例　Q：你　干　什么？(君は何をしますか)
　　　Nǐ gàn shénme？

　　A：我　学习　汉语。(私は中国語を勉強します)
　　　Wǒ xuéxí Hànyǔ.

打・电话
dǎ・diànhuà

打・字
dǎ・zì

上・课
shàng・kè

踢・足球
tī・zúqiú

＊干：～をする　　打电话：電話をかける　　打字：(文字などを) 入力する
　上课：授業にでる　　踢足球：サッカーをする

② 何をするのが好きか聞き、答えよう。

例 Q：你 喜欢 吃 什么？（何を食べるのが好きですか）
Nǐ xǐhuan chī shénme？

A：我 喜欢 吃 三明治。（私はサンドイッチを食べるのが好きです）
Wǒ xǐhuan chī sānmíngzhì.

吃・米饭
chī・mǐfàn

喝・牛奶
hē・niúnǎi

看・电视
kàn・diànshì

听・音乐
tīng・yīnyuè

＊三明治：サンドイッチ　米饭：ごはん　喝：飲む　牛奶：牛乳　电视：テレビ　听：聞く　音乐：音楽

♪ 55

死记硬背 sǐjì yìngbèi

明天你来学校吗？ Míngtiān nǐ lái xuéxiào ma？

中午我们去食堂吃饭吧。 Zhōngwǔ wǒmen qù shítáng chī fàn ba.

今天下午你去哪儿？ Jīntiān xiàwǔ nǐ qù nǎr？

你喜欢吃什么？ Nǐ xǐhuan chī shénme？

这是我借的书。 Zhè shì wǒ jiè de shū.

很好用。 Hěn hǎoyòng.

不知道。 Bù zhīdào.

课外作业 kèwài zuòyè

一、テキスト“死记硬背”部分を暗記しよう。

二、“生词词组”の単語のピンインを覚えよう。

三、次回の授業のため、第 8 課の“生词词组”を覚えよう。

四、友達のこれからの予定を中国語で聞き出そう。

五、次の文を中国語で言ってみよう。

1. 今日の午後、何をしますか。
2. 君は商店街へ行きますか。
3. 明日の午後、私は本屋に行って辞書を買います。
4. 私はごはんを食べます。
5. 私たちはテレビを見ます。

第8课 你有邮票吗？

Dì bā kè Nǐ yǒu yóupiào ma?

56

生词词组 shēngcí cízǔ

有 yǒu
邮票 yóupiào
没 méi
邮局 yóujú
…里 …li
在 zài
教学楼 jiàoxuélóu

层 céng
现在 xiànzài
寄信 jì xìn
公交车站 gōngjiāo chēzhàn
商店 shāngdiàn
前边 qiánbian

那里 nàli
车 chē
下午 xiàwǔ
趟 tàng
坐车 zuò chē
开车 kāichē

口语会话 kǒuyǔ huìhuà

57

1. A：你 有 邮票 吗？
Nǐ yǒu yóupiào ma ?

B：我 没 有。
Wǒ méi yǒu.

A：学校里 有 邮局 吗？
Xuéxiàoli yǒu yóujú ma ?

B：有， 在 教学楼 一 层。
Yǒu, zài jiàoxuélóu yī céng.

A：我 现在 去 邮局 寄 信。
Wǒ xiànzài qù yóujú jì xìn.

B：我 也 去。 我 去 买 邮票。
Wǒ yě qù. Wǒ qù mǎi yóupiào.

58

2. A：请问， 公交 车站 在 哪儿？
Qǐngwèn, gōngjiāo chēzhàn zài nǎr ?

B：在 商店 前边。
Zài shāngdiàn qiánbian.

A：那里　有　去　学校　的　车　吗？
Nàli　yǒu　qù　xuéxiào　de　chē　ma？

B：有，　下午　有　三　趟。
Yǒu,　xiàwǔ　yǒu　sān　tàng.

A：你　也　坐　车　去　学校　吗？
Nǐ　yě　zuò　chē　qù　xuéxiào　ma？

B：不，　我　开车　去。
Bù,　wǒ　kāichē　qù.

语法说明 yǔfǎ shuōmíng

1．「～に～がある」、「～に～がいる」—所在・場所の言い方

場所＋“有 yǒu”＋物、人　　物、人＋“在 zài”＋場所

图书馆里　有　中国　的　报纸　吗？　　她　在　教室。
Túshūguǎnli　yǒu　Zhōngguó　de　bàozhǐ　ma？　Tā　zài　jiàoshì

卫生间　在　哪儿？
Wèishēngjiān　zài　nǎr？

＊报纸：新聞　　教室：教室　　卫生间：トイレ

2．「～は～を持っている」—所有・存在の言い方

你　有　电脑　吗？
Nǐ　yǒu　diànnǎo　ma？

3．方位詞—位置を表すことば

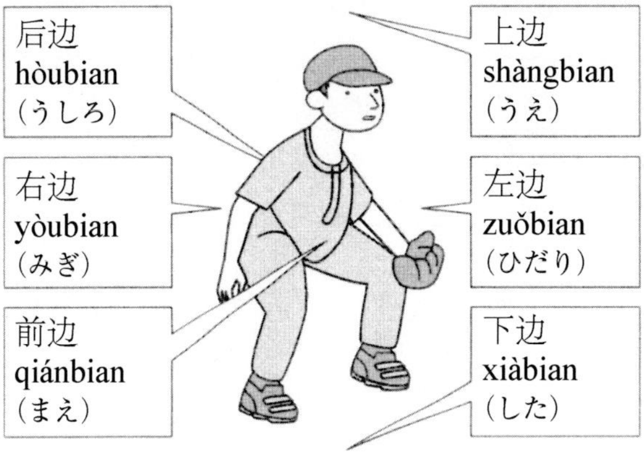

里边	外边	东边	西边	南边	北边
lǐbian	wàibian	dōngbiān	xībiān	nánbiān	běibiān
（なか）	（そと）	（ひがし）	（にし）	（みなみ）	（きた）

4．数の言い方

零	一	二 (两)	三	四	五	六	七	八	九	十
líng	yī	èr (liǎng)	sān	sì	wǔ	liù	qī	bā	jiǔ	shí

(!) 中国には「2」が二つあり、“二 èr”は順番を言い、“两 liǎng”は数量を言う。

・十以上の数の言い方

十一　十二　十三……十九　二十　二十一……九十九　一百
shíyī　shí'èr　shísān　shíjiǔ　èrshí　èrshiyī　jiǔshijiǔ　yìbǎi

5．数の聞き方

你　有　几　本　汉语　字典？　你们　学校　有　多少　学生？
Nǐ yǒu jǐ běn Hànyǔ zìdiǎn?　Nǐmen xuéxiào yǒu duōshao xuésheng?

我们　班　有　二十　多　个　学生。
Wǒmen bān yǒu èrshí duō ge xuésheng.

＊几：いくつ（数）　多少：どれぐらい
班：クラス　～多：～あまり　个：（人や物を数える）個、人

6．数量詞—数詞＋量詞＋名詞

两　个　人　　我　买　一　本　笔记本。
liǎng ge rén　　Wǒ mǎi yì běn bǐjìběn.

＊笔记本：ノート

量　詞	説　明	例
个 ge	人や物など、常用される	人 rén（ひと）　苹果 píngguǒ（りんご）
张 zhāng	平らな面を持つもの	桌子 zhuōzi（テーブル、机）　纸 zhǐ（紙）
件 jiàn	事柄や衣服など	衣服 yīfu（服）　事 shì（事柄）
把 bǎ	握り手のあるもの	伞 sǎn（傘）　椅子 yǐzi（イス）
双 shuāng	一揃いのもの	袜子 wàzi（靴下）　鞋 xié（靴）
条 tiáo	細長いもの	裤子 kùzi（ズボン）　路 lù（道、道路）
杯 bēi	コップなどに入れたもの	茶 chá（お茶）　酒 jiǔ（酒）
瓶 píng	びんなど	可乐 kělè（コーラ）　酱油 jiàngyóu（醤油）
碗 wǎn	器など	米饭 mǐfàn　面条 miàntiáo
块 kuài	かたまり状のもの	三明治 sānmíngzhì（サンドイッチ）　蛋糕 dàngāo（ケーキ）
盘 pán	皿状のもの	炒饭 chǎofàn（チャーハン）　菜 cài（料理、おかず）
本 běn	冊子など	书 shū（書籍）　字典 zìdiǎn（辞典）

课堂练习 kètáng liànxí

① どこにいるか聞き、答えよう。

例　Q：你　在　哪儿？（あなたはどこにいますか）
　　　　Nǐ　zài　nǎr？

　　A：我　在　教室。（私は教室にいます）
　　　　Wǒ　zài　jiàoshì.

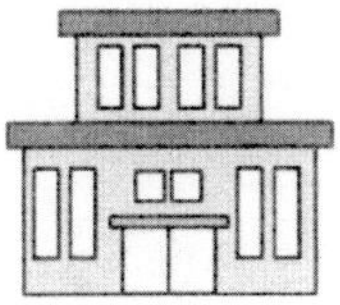

图书馆 túshūguǎn

电影院 diànyǐngyuàn
（映画館）

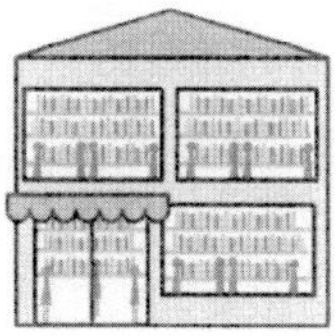

书店 shūdiàn

超市 chāoshì
（スーパーマーケット）

② 教室に何が、どのくらいあるか聞き、答えよう。

例　Q：教室里　有　多少　学生？（教室にはどのくらい学生がいますか）
　　　　Jiàoshìli　yǒu　duōshao　xuésheng？

　　A：教室里　有　三十　个　学生。（教室には 30 人の学生がいます）
　　　　Jiàoshìli　yǒu　sānshí　ge　xuésheng.

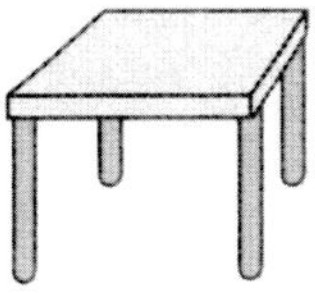

张 zhāng · 桌子 zhuōzi

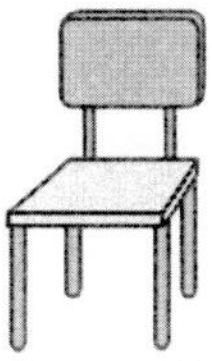

把 bǎ · 椅子 yǐzi
（イス）

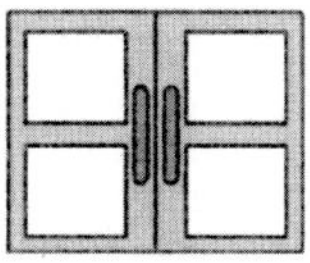

个 ge · 窗户 chuānghu
（窓）

个 ge · 门 mén
（ドア、入口）

＊多少：どれぐらい

③　お昼は何を、どのくらい食べるか聞き、答えよう。

例　Q：你　吃　几　碗　米饭？（君はご飯を何杯食べますか）
　　　Nǐ　chī　jǐ　wǎn　mǐfàn？

　　A：我　吃　一　碗　米饭。（私はご飯を一膳食べます）
　　　Wǒ　chī　yī　wǎn　mǐfàn.

盘 pán・寿司 shòusī

碗 wǎn・乌冬面 wūdōngmiàn

块 kuài・比萨饼 bǐsàbǐng

个 ge・汉堡包 hànbǎobāo

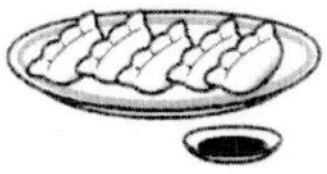
个 ge・饺子 jiǎozi

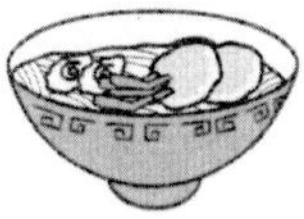
碗 wǎn・汤面 tāngmiàn

盘 pán・炒饭 chǎofàn

个 ge・春卷 chūnjuǎn

＊几碗：何杯　　寿司：寿司　　乌冬面：うどん　　比萨饼：ピザ
汉堡包：ハンバーガー　　汤面：ラーメン　　炒饭：チャーハン　　春卷：春巻き

♪59

死记硬背 sǐjì yìngbèi

学校里有邮局吗？ Xuéxiàoli yǒu yóujú ma？

你有邮票吗？ Nǐ yǒu yóupiào ma

请问，车站在哪儿？ Qǐngwèn, chēzhàn zài nǎr？

卫生间在哪儿？ Wèishēngjiān zài nǎr？

我没有字典。 Wǒ méi yǒu zìdiǎn.

课外作业 kèwài zuòyè

一、テキスト“死记硬背”部分を暗記しよう。

二、“生词词组”の単語のピンインを覚えよう。

三、次回の授業のため、第９課の“生词词组”を覚えよう。

四、次の文を中国語で言ってみよう。

1. 図書館はどこにありますか。
2. 君は運転免許証を持っていますか。（運転免許：jiàzhào 驾照）
3. 私は兄がいません。（兄：gēge 哥哥）
4. 彼は教室にいません。
5. ここには三十人余りの学生がいます。（ここ：zhèr 这儿、zhèli 这里）
6. 今日のお昼は何を食べますか。
7. この辞書は君のですか。
8. この辞書はどうですか。
9. 私は辞書を二冊買います。
10. 私は食堂へサンドイッチを買いに行きます。

ステップⅢ

第9课　最近你在干什么呢？

Dì jiǔ kè　Zuìjìn nǐ zài gàn shénme ne?

♪60

生词词组 shēngcí cízǔ

在 zài
干 gàn
星期天 xīngqītiān
空儿 kòngr
事儿 shìr
教 jiāo
好吗 hǎo ma
啊 a
那 nà
英语 Yīngyǔ
行 xíng
学 xué
写信 xiě xìn
给 gěi
用 yòng
手机 shǒujī
发 fā
微信 Wēixìn

口语会话 kǒuyǔ huìhuà

♪61

1. A：最近　你　在　干　什么　呢？
Zuìjìn　nǐ　zài　gàn　shénme　ne？

B：没　干　什么。　你　呢？
Méi　gàn　shénme.　Nǐ　ne？

A：我　也　没　干　什么。　星期天　你　有　空儿　吗？
Wǒ　yě　méi　gàn　shénme.　Xīngqītiān　nǐ　yǒu　kòngr　ma？

B：你　有　什么　事儿？
Nǐ　yǒu　shénme　shìr？

A：你　教　我　汉语，　好　吗？
Nǐ　jiāo　wǒ　Hànyǔ,　hǎo　ma？

B：好　啊！　那　你　教　我　英语　吧。
Hǎo　a!　Nà　nǐ　jiāo　wǒ　Yīngyǔ　ba.

A：行。　我们　一起　学　吧。
Xíng.　Wǒmen　yìqǐ　xué　ba.

♪ 62

2. A：你　在　写　什么　呢？
Nǐ zài xiě shénme ne ?

B：我　在　写　信　呢。
Wǒ zài xiě xìn ne.

A：你　在　给　谁　写　信　呢？
Nǐ zài gěi shéi xiě xìn ne ?

B：我　在　给　朋友　写　信　呢。
Wǒ zài gěi péngyou xiě xìn ne.

A：你　用　手机　给　他　发　微信　吧。
Nǐ yòng shǒujī gěi tā fā Wēixìn ba.

B：他　没　用　微信。
Tā méi yòng Wēixìn.

语法说明 yǔfǎ shuōmíng

1.

・「～で～する」―場所を言う介詞の“在 zài”

我　在　图书馆　看　书。
Wǒ zài túshūguǎn kàn shū.

・「～している」―進行を言う副詞の“在 zài”

他　在　写　信　呢。
Tā zài xiě xìn ne.

2.「誰々に～を～する」―目的語（賓語）を二つとる動詞

王　老师　教　我们　汉语。
Wáng lǎoshī jiāo wǒmen Hànyǔ.

3. 年月日・曜日の言い方（1）

・西暦

2019 年
èr líng yī jiǔ nián

2005 年
èr líng líng wǔ nián

1949 年
yī jiǔ sì jiǔ nián

201 几年？
èr líng yī jǐ nián ?

20 几几年？
èr líng jǐ jǐ nián ?

・月日

6月1号（日）　12月31号（日）　几　月　几　号（日）?
liù yuè yī hào (rì)　shí'èr yuè sānshiyī hào (rì)　jǐ　yuè　jǐ　hào (rì) ?

・曜日

星期一　星期二　星期三 …　星期六　星期日（天）　星期 几 ?
xīngqīyī　xīngqī'èr　xīngqīsān …　xīngqīliù　xīngqīrì (tiān)　xīngqī jǐ ?

4．語気助詞“吧 ba”

・「～しましょう」（提案）　我们　一起　学习　吧。
Wǒmen　yìqǐ　xuéxí　ba.

・「～しなさい」（軽い命令）　明天　下午　你们　去　吧。
Míngtiān　xiàwǔ　nǐmen　qù　ba.

・「～でしょう」（推測）　你　是　留学生　吧。
Nǐ　shì　liúxuéshēng　ba.

＊学习：学ぶ、勉強する

5．介詞—介詞は動作・行為の場所、方法、手段、道具、対象などを表す語とともに介詞句をつくり、述語の前に置く。

我们　在　学生食堂　吃　午饭。
Wǒmen　zài　xuéshēngshítáng　chī　wǔfàn.

介　詞	説　明	例　　文
在 zài	（どこ）で	我在家做作业。Wǒ zài jiā zuò zuòyè.
跟 gēn, 和 hé	（誰）と	我跟他们一起去北京。 Wǒ gēn tāmen yìqǐ qù Běijīng.
给 gěi	（誰）に、	我给我妈妈写信。Wǒ gěi wǒ māma xiě xìn.
往 wǎng	（方向）へ	往南走。Wǎng nán zǒu.
从 cóng	（いつ・どこ）から	从三点开始。Cóng sān diǎn kāishǐ.
到 dào	（いつ・どこ）まで	到五点结束。Dào wǔ diǎn jiéshù.
离 lí	（いつ・どこ）から（いつ・どこ）まで	离星期日还有两天。Lí xīngqīrì háiyǒu liǎng tiān.

＊做作业：宿題をする　南：南　走：歩いて行く　点：（時刻）～時
开始：始める　结束：終わる　还：まだ、さらに　天：（日数を言う）～日

课堂练习 kètáng liànxí

① どこで、何をしているかを聞き、答えよう。

例 Q：你 在 哪儿 学习 汉语？ A：我 在 大学 学习 汉语。
Nǐ zài nǎr xuéxí Hànyǔ ? Wǒ zài dàxué xuéxí Hànyǔ.

Q：你 在 大学 学习 什么？ A：我 在 大学 学习 英语。
Nǐ zài dàxué xuéxí shénme ? Wǒ zài dàxué xuéxí Yīngyǔ.

图书馆・看 书
túshūguǎn·kàn shū

电影院・看 电影
diànyǐngyuàn·kàn diànyǐng

超市・买 东西
chāoshì·mǎi dōngxi

邮局・寄 信
yóujú·jì xìn

② 例示の日付を使って誕生日を聞き、答えよう。

例 Q：你 的 生日 是 几 月 几 日（号）？
Nǐ de shēngrì shì jǐ yuè jǐ rì (hào) ?

A：我 的 生日 是 10 月 21 日（号）。
Wǒ de shēngrì shì shí yuè èrshiyī rì (hào).

3.15 ***8.7*** ***11.23*** ***6.30***

③ 一緒にどこに行って何をするかを呼びかけよう。

例 Q：我们 一起 去 东京 玩儿 吧。
Wǒmen yìqǐ qù Dōngjīng wánr ba.

A：好 吧。
Hǎo ba.

教室・上课
jiàoshì·shàng kè

饭馆・吃饭
fànguǎn·chī fàn
（レストラン）

操场・打球
cāochǎng·dǎ qiú
（球技をする）

中国・留学
Zhōngguó·liúxué

＊东京：東京

♪ 63

死记硬背 sǐjì yìngbèi

最近你在干什么呢？

你教我汉语，好吗？

我在给朋友写信呢。

我们在教室学习。

我和朋友在食堂吃午饭。

课外作业 kèwài zuòyè

一、背诵课文和“死记硬背”部分。（テキスト本文と“死记硬背”部分を暗記しよう。）

二、预习第 10 课“生词词组”。（第 10 課の“生词词组”を予習しよう。）

三、把以下汉语翻译成日语。（次の中国語を日本語に訳してみよう。）

1. 最近你在干什么呢？
2. 我们在教室学习汉语呢。
3. 我和朋友在看电视呢。
4. 下午你在哪儿上网？（上网 shàngwǎng：インターネットをする）
5. 我星期六在饭馆打工。（打工 dǎgōng：アルバイト〔をする〕）

四、把以下日语翻译成汉语。（次の日本語を中国語に訳してみよう。）

1. 私は英語を勉強中です。
2. 午後私は友達と一緒に図書館で勉強します。
3. 私は携帯を使い彼にメールをしています。（メールを送る：发邮件 fā yóujiàn）
4. 今日は何月何日何曜日ですか。
5. 君は何曜日にアルバイトをしますか。

第10课　你的电话号码是多少？

Dì shí kè　Nǐ de diànhuà hàomǎ shì duōshao?

♪ 64

生词词组 shēngcí cízǔ

想 xiǎng
留学 liúxué
年 nián
要 yào
钱 qián
可能 kěnéng
万 wàn
日元 rìyuán
那么 nàme
呀 ya
没关系 méi guānxi
先 xiān
月 yuè
还 hái
差不多 chàbuduō
号码 hàomǎ
房间 fángjiān
为什么 wèishénme
问 wèn
玩儿 wánr
千万 qiānwàn
别 bié
乱 luàn
打电话 dǎ diànhuà
一定 yídìng

口语会话 kǒuyǔ huìhuà

♪ 65

1. A：你 想 去 中国 留学 吗？
Nǐ xiǎng qù Zhōngguó liúxué ma？

B：想 去。你 呢？
Xiǎng qù. Nǐ ne？

A：我 也 想 去。我们 一起 去 吧。
Wǒ yě xiǎng qù. Wǒmen yìqǐ qù ba.

B：一 年 要 多少 钱？
Yì nián yào duōshao qián？

A：可能 几十 万 日元 吧。
Kěnéng jǐshí wàn rìyuán ba.

B：我 没 有 那么 多 钱 呀！
Wǒ méi yǒu nàme duō qián ya！

A：没 关系，我们 先 去 一 个 月。
Méi guānxi, wǒmen xiān qù yí ge yuè.

B：那 还 差不多。
Nà hái chàbuduō.

♪ 66

2．A：你 的 电话 号码 是 多少？
Nǐ de diànhuà hàomǎ shì duōshao？

B：090 － 1234 － 5678。
Líng jiǔ líng － yī (yāo) èr sān sì － wǔ liù qī bā.

A：你 的 房间 号码 是 多少？
Nǐ de fángjiān hàomǎ shì duōshao？

B：305 号。你 为什么 要 问 房间 号码？
Sān líng wǔ hào. Nǐ wèishénme yào wèn fángjiān hàomǎ？

A：我 想 去 你 那里 玩儿。
Wǒ xiǎng qù nǐ nàli wánr.

B：你 千万 别 去，我 那里 很 乱。
Nǐ qiānwàn bié qù, wǒ nàli hěn luàn.

A：没 关系，我 先 给 你 打 电话。
Méi guānxi, wǒ xiān gěi nǐ dǎ diànhuà.

B：那 好，你 一定 要 先 给 我 打 电话。
Nà hǎo, nǐ yídìng yào xiān gěi wǒ dǎ diànhuà.

语法说明 yǔfǎ shuōmíng

1．「～したい」の言い方ー 助動詞 "想 xiǎng"、"要 yào"

我 想 看 电影。
Wǒ xiǎng kàn diànyǐng.

我 要 买 东西。
Wǒ yào mǎi dōngxi.

我 不 想 做 作业。
Wǒ bù xiǎng zuò zuòyè.

＊做：～する、作る　　作业：宿題

(!)「～しなければならない」の "要 yào" ー否定は "不用 búyòng"「～しなくてよい」、"别 bié"「～してはいけない」

我 上午 要 去 学校。
Wǒ shàngwǔ yào qù xuéxiào.

你　今天　下午　不用　来。
Nǐ jīntiān xiàwǔ búyòng lái.

你　明天　别　去　东京。
Nǐ míngtiān bié qù Dōngjīng.

2．金額、値段の言い方

書き言葉	元 yuán	角 jiǎo	分 fēn
話し言葉	块 kuài	毛 máo	分 fēn

这个　多少　钱？
Zhège duōshao qián?

——两　块　五　(毛　钱)。
Liǎng kuài wǔ (máo qián).

3．電話番号の聞き方、言い方

你　的　电话　号码　是　多少？
Nǐ de diànhuà hàomǎ shì duōshao?

——我　的　电话　号码　是　090 － 1234 － 5678。
Wǒ de diànhuà hàomǎ shì líng jiǔ líng - yī (yāo) èr sān sì - wǔ liù qī bā.

4．年月日や曜日などの言い方（2）

前年 qiánnián （おととし）	去年 qùnián （きょねん）	今年 jīnnián （ことし）	明年 míngnián （来年）	后年 hòunián （さ来年）
上上个月 shàngshàng ge yuè （先々月）	上个月 shàng ge yuè （先月）	这个月 zhège yuè （今月）	下个月 xià ge yuè （来月）	下下个月 xiàxià ge yuè （さ来月）
上上个星期 shàngshàng ge xīngqī （先々週）	上个星期 shàng ge xīngqī （先週）	这个星期 zhège xīngqī （今週）	下个星期 xià ge xīngqī （来週）	下下个星期 xiàxià ge xīngqī （さ来週）
元旦 Yuándàn （元旦）	春节 Chūnjié （春節〔旧正月〕）	劳动节 Láodòngjié （メーデー）	国庆节 Guóqìngjié （国慶節）	中秋节 Zhōngqiūjié （中秋）

5．大きな数など

100　一百　　101　一百 零 一　　110　一百 一（十）　　111　一百 一十一
yìbǎi　　yìbǎi líng yī　　yìbǎi yī (shí)　　yìbǎi yīshiyī

200　二百 / 两百　　250　二百 五十
èrbǎi/liǎngbǎi　　èrbǎi wǔshí

1,000　一千　　1,001　一千 零 一　　1,011　一千 零 一十一　　1,100　一千 一（百）

yìqiān　　yìqiān líng yī　　yìqiān líng yīshiyī　　yìqiān yī (bǎi)

2,000　两千　　20,000　两万
liǎngqiān　　liǎngwàn

20,003　两万　零　三　　20,200　两万　零　二百　　22,000　两万　两千
liǎngwàn líng sān　　liǎngwàn líng èrbǎi　　liǎngwàn liǎngqiān

40,602　四万　零　六百　零　二　　2億　两亿
sìwàn líng liùbǎi líng èr　　liǎngyì

0.3　零　点　三　　$\frac{1}{2}$　二　分　之　一　　$5\frac{2}{3}$　五　又　三　分　之　二
líng diǎn sān　　èr fēn zhī yī　　wǔ yòu sān fēn zhī èr

48%　百分之四十八　　２０１号　　(!) "1 yī" は番号などでは "yāo" と発音されることが多い
bǎi fēn zhī sìshibā　　èr líng yāo hào

课堂练习 kètáng liànxí

① ものの値段を聞き、答えよう。(値段は話し言葉。量詞に注意すること)

例　Q：这　件　衣服　多少　钱?
Zhè jiàn yīfu duōshao qián?

A：五十八　块　七　毛　(钱)。
Wǔshibā kuài qī máo (qián).

件・毛衣・98.5元
jiàn・máoyī
(セーター)

条・裙子・36.7元
tiáo・qúnzi
(スカート)

双・袜子・14.8元
shuāng・wàzi

双・鞋・156.9元
shuāng・xié

② 自分がしたいことを言おう。例のほかにもできるだけ多く挙げよう。

例　Q：你　想　吃　什么?
Nǐ xiǎng chī shénme?

A：我　想　吃　北京烤鸭。／我　要　吃　青椒肉丝。
Wǒ xiǎng chī Běijīng kǎoyā.　Wǒ yào chī qīngjiāo ròusī.

＊北京烤鸭：ペキンダック　青椒肉丝：チンジャオロースー

玩・游戏	做・作业	洗・衣服	买・东西
wán・yóuxì	zuò・zuòyè	xǐ・yīfu	mǎi・dōngxi
（ゲーム）	（～をする）（宿題）	（洗う）	

③　電話番号を聞こう。（下に挙げたのは中国の緊急時の電話番号）

例　Q：你　的　手机号码　是　多少？
　　　Nǐ　de　shǒujīhàomǎ　shì　duōshao？

　　A：我　的　手机号码　是　090-1234-5678。
　　　Wǒ　de　shǒujī hàomǎ　shì

急救电话：120	报警电话：110	火警电话：119	报时电话：117
jíjiùdiànhuà	bàojǐngdiànhuà	huǒjǐngdiànhuà	bàoshídiànhuà
（救急）	（警察）	（消防）	（時報）

♪67

死记硬背 sǐjì yìngbèi

你想去中国留学吗？

我们一起去吧。

你的电话号码是多少？

我想去你那里玩儿。

我给你打电话。

课外作业 kèwài zuòyè

一、背诵课文和“死记硬背”部分。

二、预习第 11 课“生词词组”。

三、把以下汉语翻译成日语。

1. 我想吃北京烤鸭。
2. 这个苹果多少钱？
3. 你家的电话号码是多少？（家 jiā：家）
4. 下个星期天我要在书店打工。
5. 你的生日是几月几日（号）？

四、把以下日语翻译成汉语。

1. あなたは何を買いたいですか。
2. 私は来年の春、中国へ留学に行きたいです。（春：春天 chūntiān）
3. 私の電話番号は＿＿＿＿＿＿＿＿＿＿＿です。
4. だいじょうぶです、私が先に行きます。
5. 中国はおよそ十三億の人口があります。（およそ：大概 dàgài）

第11课　你家离学校远不远？
Dì shíyī kè　Nǐ jiā lí xuéxiào yuǎn bu yuǎn?

♪68

生词词组 shēngcí cízǔ

点 diǎn	真 zhēn	附近 fùjìn
了 le	用功 yònggōng	从…到～ cóng…dào～
快 kuài	商店 shāngdiàn	方便 fāngbiàn
查 chá	家 jiā	到 dào
－了 -le	离 lí	走 zǒu
资料 zīliào	远 yuǎn	来 lái
多长 duō cháng	…多…duō	分钟 fēnzhōng
时间 shíjiān	住 zhù	
小时 xiǎoshí	就 jiù	

口语会话 kǒuyǔ huìhuà

♪69

1. A：现在 几 点 了？
Xiànzài jǐ diǎn le?

B：快 五 点 了。 今天 下午 你 干 什么 了？
Kuài wǔ diǎn le. Jīntiān xiàwǔ nǐ gàn shénme le?

A：我 去 图书馆 查了 查 资料。
Wǒ qù túshūguǎn chále chá zīliào.

B：你 查了 多 长 时间？
Nǐ chále duō cháng shíjiān?

A：我 查了 四 个 小时。
Wǒ chále sì ge xiǎoshí.

B：你 真 用功。
Nǐ zhēn yònggōng.

A：你 下午 去 哪儿 了？
Nǐ xiàwǔ qù nǎr le?

B：我 去 商店 买 东西 了。
Wǒ qù shāngdiàn mǎi dōngxi le.

♪70 2. A：你 家 离 学校 远 不 远？
Nǐ jiā lí xuéxiào yuǎn bu yuǎn?

B：很 远。坐 车 要 一 个 多 小时。
Hěn yuǎn. Zuò chē yào yí ge duō xiǎoshí.

A：你 在 那儿 住了 几 年 了？
Nǐ zài nàr zhùle jǐ nián le?

B：快 两 年 了。你 家 在 哪儿？
Kuài liǎng nián le. Nǐ jiā zài nǎr?

A：我 家 就 在 学校 附近。
Wǒ jiā jiù zài xuéxiào fùjìn.

B：从 学校 到 你 家 方便 吗？
Cóng xuéxiào dào nǐ jiā fāngbiàn ma?

A：很 方便，走 十 来 分钟 就 到。
Hěn fāngbiàn, zǒu shí lái fēnzhōng jiù dào.

B：真 方便。
Zhēn fāngbiàn.

语法说明 yǔfǎ shuōmíng

1．「～から～まで」―介詞 "从 cóng"、"离 lí"、"到 dào"

小 李 从 上海 来 我们 学校。
Xiǎo Lǐ cóng Shànghǎi lái wǒmen xuéxiào.

我 家 离 学校 很 远。
Wǒ jiā lí xuéxiào hěn yuǎn.

我 每天 晚上 从 八 点 到 十 点 看 电视。
Wǒ měitiān wǎnshang cóng bā diǎn dào shí diǎn kàn diànshì.

＊每天：毎日

2．「～し終えた」ー動作・行為が完了、完成したことを言う　動詞 ＋ “了 le”

今天　我们　上了　两　节　课。
Jīntiān wǒmen shàngle liǎng jié kè.

＊节：時限、コマ　　课：授業

・否定は “没 méi”　“没 méi” ＋動詞

今天　我们　没　上　课。
Jīntiān wǒmen méi shàng kè.

3．「～になった」ー変化を表す文末の “了 le”

下 雨 了。　明天 我 不 去 东京 了。
Xià yǔ le　Míngtiān wǒ bú qù Dōngjīng le.

＊下雨：雨が降る

4．「もうじき～になる」— “快 kuài ～了 le”

冬天 快 到 了。　快 下课 了。
Dōngtiān kuài dào le.　Kuài xiàkè le.

＊冬天：冬　　下课：授業が終る

5．動詞の繰り返しー「ちょっと～する」

	動詞＋動詞	動詞＋ “一 yi” ＋動詞	動詞＋ “一下 yíxià”
単音節動詞	看看 kànkan	看一看 kàn yi kàn	看一下 kàn yíxià
例　文	看看书 kànkan shū	看一看书 kàn yi kàn shū	看一下书 kàn yíxià shū
多音節動詞	学习学习 xuéxí xuéxí		学习一下 xuéxí yíxià
例　文	学习学习汉语 xuéxí xuéxí Hànyǔ		学习一下汉语 xuéxí yíxià Hànyǔ
完了の場合	看了看 kànle kàn	看了一看 kànle yí kàn	看了一下 kànle yíxià

＊一下：ちょっと（～する）

6．時刻の言い方、聞き方

十二点整　　两点零五分　　五点一刻　　八点半

现在　几　点？　——现在　四　点　三十五（分）。
Xiànzài jǐ diǎn ?　——Xiànzài sì diǎn sānshiwǔ (fēn).

＊半：半

7．時間の言い方、聞き方

两　(个)　小时　十　分（钟）。　三　个　半　小时。
Liǎng (ge) xiǎoshí shí fēn (zhōng).　Sān ge bàn xiǎoshí.

你　去了　多　长　时间？　——我　去了　一　个　多　小时。
Nǐ qùle duō cháng shíjiān ?　—— Wǒ qùle yí ge duō xiǎoshí.

＊半 bàn：半

课堂练习 kètáng liànxí

① 時間を聞き、答えよう。

例　Q：现在　几　点　了？　A：现在　五　点　半　了。
Xiànzài jǐ diǎn le ?　Xiànzài wǔ diǎn bàn le.

7:20　8:30　12:05　15:46　20:00　23:35

＊半：半

② 昨日したこと、しなかったことを言ってみよう。

例　Q：你　昨天　干　什么　了？　A：我　昨天　洗　衣服　了。
Nǐ zuótiān gàn shénme le ?　Wǒ zuótiān xǐ yīfu le.

上网
shàngwǎng

打・球
dǎ・qiú

写・作业
xiě・zuòyè

学・汉语
xué・Hànyǔ

♪ 71

死记硬背 sǐjì yìngbèi

现在几点了?

我去图书馆查了资料。

你真用功。

你家离学校远不远?

从我家到学校很方便。

课外作业 kèwài zuòyè

一、背诵课文和“死记硬背”部分。

二、预习第 12 课“生词词组”。

三、把以下汉语翻译成日语。

1. 从山口到东京有多少公里? (公里 gōnglǐ : キロメートル)
2. 你家离车站远不远?
3. 我看了两个小时电影。
4. 我学了六年英语了。
5. 昨天晚上我看了看书,打了打电话,听了听音乐。

四、把以下日语翻译成汉语。

1. 図書館で資料を三時間調べました。
2. 毎日自転車で学校に行きます。(自転車に乗る : 骑自行车 qí zìxíngchē)
3. 今日の午後何もしませんでした。
4. この部屋で何年間暮らしましたか。
5. 家からスーパー・マーケットまで遠いですか。

第12课　你去过中国吗？
Dì shí'èr kè　Nǐ qùguo Zhōngguó ma?

♪72

生词词组 shēngcí cízǔ

怎么 zěnme
找 zhǎo
桌子 zhuōzi
…上 …shang
放 fàng
－着 -zhe
急死 jísǐ
打算 dǎsuàn
自动铅笔 zìdòngqiānbǐ
拿 ná
还 huán
－过 -guo
已经 yǐjīng
次 cì
了不起 liǎobuqǐ
暑假 shǔjià

口语会话 kǒuyǔ huìhuà

♪73

1．A：你　怎么　了？
　　Nǐ　zěnme　le？

B：我　找　手机　呢。
　　Wǒ　zhǎo　shǒujī　ne.

A：那　不　是？　在　桌子上　放着　呢。
　　Nà　bú　shì？　Zài　zhuōzishang　fàngzhe　ne.

B：谢谢，　急死　我　了。
　　Xièxie,　jísǐ　wǒ　le.

A：我　的　自动铅笔　呢？
　　Wǒ　de　zìdòngqiānbǐ　ne？

B：我　拿着　呢。　还给　你。
　　Wǒ　názhe　ne.　Huángěi　nǐ.

♪74

2．A：你　去过　中国　吗？
　　Nǐ　qùguo　Zhōngguó　ma？

B：没　去过。　你　呢？
　　Méi　qùguo.　Nǐ　ne？

A：我　已经　去过　三　次　了。
Wǒ　yǐjīng　qùguo　sān　cì　le.

B：真　了不起！　今年　暑假　我　也　打算　去。
Zhēn　liǎobuqǐ !　Jīnnián　shǔjià　wǒ　yě　dǎsuàn　qù.

A：你　打算　去　干　什么？
Nǐ　dǎsuàn　qù　gàn　shénme ?

B：我　打算　去　留学。
Wǒ　dǎsuàn　qù　liúxué.

A：你　打算　去　多　长　时间？
Nǐ　dǎsuàn　qù　duō　cháng　shíjiān ?

B：我　打算　去　一　年。
Wǒ　dǎsuàn　qù　yì　nián.

语法说明 yǔfǎ shuōmíng

1．「～するつもりだ」―助動詞 “打算 dǎsuàn”

明年　我　打算　去　中国。
Míngnián　wǒ　dǎsuàn　qù　Zhōngguó.

春假　我　打算　学　开车。
Chūnjià　wǒ　dǎsuàn　xué　kāichē.

＊春假：春休み

2．「～したことがある」―過去の経験を言う

去年　我　去过　一　次　中国。
Qùnián　wǒ　qùguo　yí　cì　Zhōngguó.

我　还　没　吃过　北京烤鸭
Wǒ　hái　méi　chīguo　Běijīng kǎoyā.

3．「～している」、「～（状態）になっている」―動作・行為の持続を言う

窗户　开着　呢。　门　没　开着。　她　上着　课　呢。
Chuānghu　kāizhe　ne.　Mén　méi　kāizhe.　Tā　shàngzhe　kè　ne.

＊窗户：窓　开：開く、開ける　门：ドア、戸

4．動量補語―動作・行為の回数を言う　動詞＋動量補語

我　看了　一　遍　鲁迅　的　小说。
Wǒ　kànle　yí　biàn　Lǔ Xùn de　xiǎoshuō.

＊遍：遍（回数を表す）　鲁迅：魯迅（ロジン）

课堂练习 kètáng liànxí

① 動作の状態を表現しよう。

例 Q：自行车　锁着　吗？　　A：自行车　锁着　呢。
　　Zìxíngchē suǒzhe ma?　　Zìxíngchē suǒzhe ne.

教室的门 · 关
jiàoshì de mén·guān

超市的门 · 开
chāoshì de mén·kāi

照相机 · 用
zhàoxiàngjī·yòng

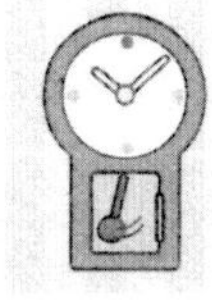

墙上的表 · 走
qiángshang de biǎo·zǒu

＊锁：鍵をかける　关：閉める　照相机：カメラ
　墙上：壁の上　表：時計　走：(時計などが) 動く

② 経験のある（ない）を言おう。(例のほかにも、できるだけ多く挙げよう)

例 Q：你　看过　机器猫　吗？　　A：我　没　看过　机器猫。
　　Nǐ kànguo Jīqìmāo ma?　　Wǒ méi kànguo Jīqìmāo.

去 · 美国
qù·Měiguó

爬 · 富士山
pá·Fùshìshān

上 · 东京塔
shàng·Dōngjīngtǎ

参观 · 故宫
cānguān·Gùgōng

＊机器猫：ドラえもん　美国：アメリカ　爬：登る　富士山：富士山
　上：上がる　东京塔：東京タワー　参观：見学する　故宫：(北京) 故宮博物院

③ 来年するつもりのことを挙げよう。(例のほかにも、できるだけ多く挙げよう)

例 明年　我　打算　去　韩国　玩儿。
　Míngnián wǒ dǎsuàn qù Hánguó wánr.

中国 · 留学
Zhōngguó·liúxué

欧洲 · 旅游
Ōuzhōu·lǚyóu

学 · 开车
xué·kāichē

专心 · 学习
zhuānxīn·xuéxí

＊韩国：韓国　欧洲：ヨーロッパ　旅游：旅行する
　专心：専念する、集中する

♪ 75

死记硬背 sǐjì yìngbèi

你怎么了？

你去过中国吗？

我已经去过三次了。

我打算去中国留学。

手机在桌子上放着呢。

真了不起！

课外作业 kèwài zuòyè

一、背诵课文和“死记硬背”部分。

二、预习第 13 课生词词组。

三、把以下汉语翻译成日语。

1. 我打算去中国的北京大学留学。
2. 去年我去过一次中国。
3. 你的字典找到了吗？（找到 zhǎodào: 探しあてる）
4. 去学校的车快来了。
5. 我到他家去过三次。

四、把以下日语翻译成汉语。

1. 私は彼と一緒に映画を見たことがあります。
2. 図書館へ勉強に行くつもりです。
3. 携帯で彼にメールを二通送信しました。
4. もうすぐ冬休みになります。（冬休み：寒假 hánjià）
5. 李さんは中国語の授業を 2 回受けたことがあります。

第13课　你会说汉语吗？
Dì shísān kè　Nǐ huì shuō Hànyǔ ma?

生词词组 shēngcí cízǔ

会 huì
说 shuō
一点儿 yìdiǎnr
是～的 shì ～ de
肯定 kěndìng
哪里哪里 nǎli nǎli
要是 yàoshi
就是 jiùshì
下雨 xià yǔ
好莱坞 Hǎoláiwù
大片 dàpiàn
能 néng
听懂 tīngdǒng
可以 kěyǐ

口语会话 kǒuyǔ huìhuà

1. A：你　会　说　汉语　吗？
Nǐ　huì　shuō　Hànyǔ　ma ?

B：会　说　一点儿。　你　呢？
Huì　shuō　yìdiǎnr.　Nǐ　ne ?

A：我　也　会　说　一点儿。
Wǒ　yě　huì　shuō　yìdiǎnr.

B：你　是　在　哪儿　学　的？
Nǐ　shì　zài　nǎr　xué　de ?

A：我　是　在　大学　学　的。　你　呢？
Wǒ　shì　zài　dàxué　xué　de.　Nǐ　ne ?

B：我　是　在　中国　学　的。
Wǒ　shì　zài　Zhōngguó　xué　de.

A：那　你　的　汉语　肯定　很　好　了。
Nà　nǐ　de　Hànyǔ　kěndìng　hěn　hǎo　le.

B：哪里　哪里。
Nǎli　nǎli.

♪78

2. A：明天 我们 一起 去 看 电影 吧？
Míngtiān wǒmen yìqǐ qù kàn diànyǐng ba？

B：好 吧， 要是 天气 好 就 去。
Hǎo ba, yàoshi tiānqì hǎo jiù qù.

A：就是 下 一点儿 雨， 我们 也 去 吧。
Jiùshì xià yìdiǎnr yǔ, wǒmen yě qù ba.

B：什么 电影？
Shénme diànyǐng？

A：好莱坞 大片。
Hǎoláiwù dàpiàn.

B：你 能 听懂 英语 吗？
Nǐ néng tīngdǒng Yīngyǔ ma？

A：可以 听懂 一点儿。 你 呢？
Kěyǐ tīngdǒng yìdiǎnr. Nǐ ne？

B：我 也 差不多。
Wǒ yě chàbuduō.

语法说明 yǔfǎ shuōmíng

1.「(習得して) ～することができる」—助動詞“会 huì”

我 会 说 汉语， 不 会 说 英语。
Wǒ huì shuō Hànyǔ, bú huì shuō Yīngyǔ.

2.「(能力・条件から) ～することができる」—助動詞“能 néng”

我 能 走 一 个 小时， 不 能 跑 一 个 小时。
Wǒ néng zǒu yí ge xiǎoshí, bù néng pǎo yí ge xiǎoshí.

＊跑：走る

3.「(条件があって)、(許されて) ～することができる」—助動詞“可以 kěyǐ”

这儿 可以 喝 酒， 不 能 抽 烟。
Zhèr kěyǐ hē jiǔ, bù néng chōu yān.

＊喝酒：酒を飲む　抽烟：タバコを吸う

4. 「(確かに) ～したのです」—過去に起こった事を強調 “是 shì ～ 的 de”

他 是 去年 暑假 去 的 北京。
Tā shì qùnián shǔjià qù de Běijīng.

5. 「もし～ならば、～する」— “如果 rúguǒ（要是 yàoshi）～，就 jiù ～”

如果 不 喜欢，就 别 看。
Rúguǒ bù xǐhuan, jiù bié kàn.

要是 没 看过，就 看 一 次 吧。
Yàoshi méi kànguo, jiù kàn yí cì ba.

6. 「たとえ～でも、～する」— “就是 jiùshi ～，也 yě ～”

就是 有点儿 贵，我 也 要 买。
Jiùshi yǒudiǎnr guì, wǒ yě yào mǎi.

7. 「すこし～」— 動詞（形容詞）＋ “一点儿 yìdiǎnr”

我 吃 一点儿。 再 亮 一点儿。
Wǒ chī yìdiǎnr. Zài liàng yìdiǎnr.

・「いささか～だ」— “有点儿 yǒudiǎnr” ＋形容詞

我 有点儿 累 了。 有点儿 多 了。
Wǒ yǒudiǎnr lèi le. Yǒudiǎnr duō le.

＊亮：明るい　累：疲れる

课堂练习 kètáng liànxí

① できること、できないことを言ってみよう。(例のほかにもできるだけ多く挙げよう)

例 Q：你 会 干 什么？　A：我 会 游泳。
Nǐ huì gàn shénme?　Wǒ huì yóuyǒng.

游泳 yóuyǒng　喝・酒 hē jiǔ　打・太极拳 dǎ tàjíquán

＊游泳：水泳（をする）　喝酒：酒を飲む　太极拳：太極拳

② どれくらいできるか言ってみよう。

例 Q：你 能 游 多少 米？ A：我 能 游 五十 米。
Nǐ néng yóu duōshao mǐ？ Wǒ néng yóu wǔshí mǐ.

游・一千米
yóu·yìqiān mǐ

喝・五瓶・啤酒
hē·wǔ píng·píjiǔ

睡・十五个・小时
shuì·shíwǔ ge·xiǎoshí

＊游：泳ぐ　千：千　米：メートル　睡：寝る

③ ちょっとやったことを言おう。

例 Q：你 吃了 什么？ A：我 吃了 一点儿 饭。
Nǐ chīle shénme? Wǒ chīle yìdiǎnr fàn.

看・书
kàn·shū

学・汉语
xué Hànyǔ

喝・酒
hé·jiǔ

做・作业
zuò·zuòyè

♪ 79

死记硬背 sǐjì yìngbèi

你会说汉语吗？

会说一点儿。

你是在哪儿学的汉语？

哪里哪里。

要是天气好就去。

我也差不多。

课外作业 kèwài zuòyè

一、背诵课文和“死记硬背”部分。

二、预习第 14 课“生词词组”。

三、把以下汉语翻译成日语。

1. 明天我可以去你家吗？
2. 我是昨天下午在图书馆查的资料。
3. 要是没有钱，就不去中国留学了。
4. 我在大学里学过一点儿汉语，现在还能听懂一点儿。
5. 我会游泳，能游一千米。

四、把以下日语翻译成汉语。

1. あなたは太極拳ができますか。
2. 今は中国語で手紙が書けるようになりました。
3. もし雨が降ったら、映画を見に行かないことにしましょう。
4. 今日はちょっと暑いです。（暑い、熱い：热 rè）
5. 英語を聞き取れますが、中国語はまだ聞きとれません。

ステップⅣ

航站楼 2
Terminal
P1 P2 停车库
Parking Lot
1
地铁
Metro
磁浮
Maglev
长途汽车
Long Distance Bus

第14课　你做完作业了吗？
Dì shísì kè　Nǐ zuòwán zuòyè le ma?

♪80

生词词组 shēngcí cízǔ

完 wán	懂 dǒng	又 yòu
作业 zuòyè	过 guò	年底 niándǐ
刚 gāng	快 kuài	还好 hái hǎo
老师 lǎoshī	是的 shì de	周末 zhōumò
得 de		

口语会话 kǒuyǔ huìhuà

♪81

1. A：你　做完　作业　了　吗？
Nǐ　zuòwán　zuòyè　le　ma？

B：刚　做完。你　呢？
Gāng　zuòwán.　Nǐ　ne？

A：我　也　刚　做完。
Wǒ　yě　gāng　zuòwán.

B：老师　说　的　汉语　你　听得懂　吗？
Lǎoshī　shuō　de　Hànyǔ　nǐ　tīngdedǒng　ma？

A：听得懂。你　呢？
Tīngdedǒng.　Nǐ　ne？

B：我　听不懂。
Wǒ　tīngbudǒng.

A：为什么　听不懂　呢？
Wèishénme　tīngbudǒng　ne？

B：我　也　不　知道。
Wǒ　yě　bù　zhīdào.

♪82

2．A：时间　过得　真　快。
Shíjiān　guòde　zhēn　kuài.

B：是　的，又　快　到　年底　了。
Shì　de,　yòu　kuài　dào　niándǐ　le.

A：这　一　年　你　过得　怎么样？
Zhè　yì　nián　nǐ　guòde　zěnmeyàng ?

B：还　好。　你　怎么样？
Hái　hǎo.　Nǐ　zěnmeyàng ?

A：我　也　差不多。
Wǒ　yě　chàbuduō.

B：你　有　空儿　到　我　家　来　玩儿　吧。
Nǐ　yǒu　kòngr　dào　wǒ　jiā　lái　wánr　ba.

A：好　吧。我　打算　这个　周末　去。
Hǎo　ba.　Wǒ　dǎsuàn　zhège　zhōumò　qù.

B：好，我　等　你。
Hǎo,　wǒ　děng　nǐ.

语法说明 yǔfǎ shuōmíng

1．「～して（結果）～になった」―結果補語　動詞＋補語（動詞・形容詞）

我　看**完**　了。　　我　吃**饱**　了。
Wǒ　kànwán　le.　　Wǒ　chībǎo　le.

	看完（了） kànwán (le)	听见（了） tīngjiàn (le)	买上（了） mǎishàng (le)	买到（了） mǎidào (le)	做好（了） zuòhǎo (le)	吃饱（了） chībǎo (le)
否定	没看完 méi kànwán	没听见 méi tīngjiàn	没买上 méi mǎishàng	没买到 méi mǎidào	没做好 méi zuòhǎo	没吃饱 méi chībǎo

2．方向補語 ― 動作・行為の流れ、方向を示す補語　動詞＋方向補語

他　回去　了。　　他　回　家　去　了。
Tā　huíqù　le.　　Tā　huí　jiā　qù　le.

	上 shàng （上がる）	下 xià （下る）	进 jìn （入る）	出 chū （出る）	回 huí （戻る）	过 guò （過ぎる）	起 qǐ （～し始める）
来 lái （来る）	上来 shànglái （上がって来る）	下来 xiàlái （下りて来る）	进来 jìnlái （入って来る）	出来 chūlái （出て来る）	回来 huílái （戻って来る）	过来 guòlái （通り過ぎて来る）	起来 qǐlái （[その状態に]なって来る）
去 qù （行く）	上去 shàngqù （上がって行く）	下去 xiàqù （下りて行く）	进去 jìnqù （入って行く）	出去 chūqù （出て行く）	回去 huíqù （戻って行く）	过去 guòqù （過ぎて行く）	

3．「～することができる（できない）」―可能補語　動詞＋“得／不”＋結果補語

明天　我　看得完　这　本　书。
Míngtiān wǒ　kàndewán　zhè　běn　shū.

菜　太　多　了，吃不完。
Cài　tài　duō　le,　chībuwán.

＊太 tài：～すぎる、きわめて

4．「～の仕方（状態・程度）が～だ」―様態補語　動詞＋目的語＋動詞＋“得”＋補語

她　说　汉语　说得　很　好。
Tā　shuō Hànyǔ shuōde　hěn　hǎo.

他　说　英语　说得　不　太　好。
Tā　shuō Yīngyǔ shuōde　bú　tài　hǎo.

5．補語のまとめ

	結果補語	可能補語	様態補語	方向補語
文型	動詞＋結果補語＋“了”	動詞＋“得”＋結果補語	動詞＋“得”＋形容詞	動詞＋“去”、“来”
例文	看完了 kànwánle	看得完 kàndewán	看得高兴 kànde gāoxìng	上来 shànglái
否定	没看完 méi kànwán	看不完 kànbuwán	看得不高兴 kànde bù gāoxìng	没上来 méi shànglái

课堂练习 kètáng liànxí

① 結果補語を使って言ってみよう。

例 Q：你 看完 这 本 书 了 吗？
Nǐ kànwán zhè běn shū le ma？

A：我 看完 这 本 书 了。
Wǒ kànwán zhè běn shū le.

看・录像 kàn·lùxiàng

洗・衣服 xǐ・yīfu

扫・地 sǎo・dì

考・试 kǎo・shì

＊录像：録画、ビデオ　　扫地：床を掃く　　考试：試験を受ける

② 方向補語を使って言ってみよう。

例 Q：她 干 什么 去 了？
Tā gàn shénme qù le？

A：她 买 东西 去 了。
Tā mǎi dōngxi qù le.

上课
shàng kè

回家
huí jiā
（帰宅する）

玩儿
wánr

聊天
liáotiān
（雑談をする）

③ 可能補語を使って言ってみよう。

例 Q：今天 你 看得完 这 本 书 吗？
Jīntiān nǐ kàndewán zhè běn shū ma？

A：今天 我 看不完 这 本 书。
Jīntiān wǒ kànbuwán zhè běn shū.

买·起·名牌
mǎi·qǐ·míngpái

发·出·邮件
fā·chū·yóujiàn

赶·上·车
gǎn·shàng·chē

找·到·老师
zhǎo·dào·lǎoshī

＊名牌：ブランド品　　邮件：メール　　赶：追う、間に合う　　找：探す

④　様態補語を使って言ってみよう。

例　Q：今天　上　课　上得　有　意思　吗？
　　　Jīntiān　shàng kè　shàngde　yǒu　yìsi　ma？

　　A：今天　上　课　上得　很　有　意思。
　　　Jīntiān　shàng kè　shàngde　hěn　yǒu　yìsi.

说　汉语·说·流利
shuō Hànyǔ·shuō·liúlì

聊天·聊·高兴
liáotiān·liáo·gāoxìng

打字·打·快
dǎzì·dǎ·kuài

扫地·扫·干净
sǎodì·sǎo·gānjìng

＊流利：流暢だ　　干净：きれいだ

♪ 83

死记硬背 sǐjì yìngbèi

你做完作业了吗？

刚做完。

老师说的汉语你听得懂吗？

时间过得真快，又到年底了。

这一年你过得怎么样？

有空儿到我家来玩儿吧。

课外作业 kèwài zuòyè

一、背诵课文和“死记硬背”部分。

二、预习第 15 课“生词词组”。

三、把以下汉语翻译成日语。

1. 伊藤汉语说得很好。
2. 你明天到我家来玩儿吧。
3. 我现在能听懂老师说的汉语了。
4. 不知道小李会不会开车。
5. 我刚做完作业，现在有空儿。

四、把以下日语翻译成汉语。

1. 授業が終わったら一緒に家に帰りましょう。
2. 週末私はアルバイトをしなければなりません。
3. 李陽さんは車を運転するのがとても下手です。
4. 今はとても忙しいです。年末暇があるかどうかはまだ分かりません。

第15课 今天你好像挺高兴似的?
Dì shíwǔ kè Jīntiān nǐ hǎoxiàng tǐng gāoxìng shìde?

♪84

生词词组 shēngcí cízǔ

好像 hǎoxiàng
挺 tǐng
似的 shìde
驾照 jiàzhào
恭喜 gōngxǐ
以后 yǐhòu
出去 chūqù
才 cái
好学 hǎo xué
像～一样 xiàng ～ yíyàng
紧张 jǐnzhāng
兄弟 xiōngdì
姐妹 jiěmèi
弟弟 dìdi
妹妹 mèimei
比 bǐ
岁 suì
双胞胎 shuāngbāotāi
原来如此 yuánlái rúcǐ

口语会话 kǒuyǔ huìhuà

♪85

1．A：今天 你 好像 挺 高兴 似的？
Jīntiān nǐ hǎoxiàng tǐng gāoxìng shìde？

B：我 拿到 驾照 了。
Wǒ nádào jiàzhào le.

A：恭喜 恭喜！
Gōngxǐ gōngxǐ！

B：以后 我们 开车 出去 玩儿。
Yǐhòu wǒmen kāichē chūqù wánr.

A：你 好像 才 学了 一 个 月 呀。
Nǐ hǎoxiàng cái xuéle yí ge yuè ya.

B：是 一 个 半 月。
Shì yí ge bàn yuè.

A：好 学 吗？
Hǎo xué ma？

B：每天 像 考试 一样 紧张。
Měitiān xiàng kǎoshì yíyàng jǐnzhāng.

♪ 86

2．A：你　有　兄弟　姐妹　吗？
Nǐ　yǒu　xiōngdì　jiěmèi　ma?

B：我　有　一　个　弟弟，　一　个　妹妹。
Wǒ　yǒu　yí　ge　dìdi,　yí　ge　mèimei.

A：弟弟　比　妹妹　大　几　岁？
Dìdi　bǐ　mèimei　dà　jǐ　suì？

B：弟弟　和　妹妹　一样　大。
Dìdi　hé　mèimei　yíyàng　dà.

A：不　可能　吧？
Bù　kěnéng　ba？

B：他们　是　双胞胎。
Tāmen　shì　shuāngbāotāi.

A：原来　如此。
Yuánlái　rúcǐ.

B：我　比　他们　大　两　岁。
Wǒ　bǐ　tāmen　dà　liǎng　suì.

语法说明 yǔfǎ shuōmíng

1．「まるで（どうやら）～のようだ」“好像 hǎoxiàng ～一样 yíyàng/ 似的 shìde”

今天　真　冷，　好像　冬天　一样。
Jīntiān　zhēn　lěng,　hǎoxiàng　dōngtiān　yíyàng.

2．「AはBより～だ」— 比較

今天　比　昨天　暖和。
Jīntiān　bǐ　zuótiān　nuǎnhuo.

＊暖和：暖かい

・「AはBほど～でない」

今天　没有　昨天　冷。
Jīntiān　méiyou　zuótiān　lěng.

・「AはBと同じく～だ」

今天　跟　昨天　一样　暖和。
Jīntiān gēn zuótiān yíyàng nuǎnhuo.

课堂练习 kètáng liànxí

① 比較しよう。

例　Q：中国　比　日本　面积　大　吗？
Zhōngguó bǐ Rìběn miànjī dà ma？

A：中国　比　日本　面积　大　得　多。
Zhōngguó bǐ Rìběn miànjī dà de duō.

比較対象1	比較対象2	比較するもの（省略可）	結　論	程　度
东京 Dōngjīng	福冈 Fúgāng	人口 rénkǒu	多／少 duō/shǎo	～得多 de duō
爸爸 bàba	妈妈 māma	年龄 niánlíng	大／小 dà/xiǎo	三岁 sān suì
笔记本电脑 bǐjìběn diànnǎo	台式电脑 táishì diànnǎo	价格 jiàgé	贵／便宜 guì/piányi	一千块 yīqiān kuài
牛肉 niúròu	鸡肉 jīròu		好吃／难吃 hǎochī/nánchī	～得多 de duō

＊面积：面積　福冈：福岡　人口：人口　年龄：年齢　小：小さい
笔记本电脑：ノートパソコン　台式电脑：デスクトップパソコン　价格：価格、値段
贵：高い　便宜：安い　牛肉：牛肉　鸡肉：鶏肉　难吃：まずい

② たとえてみよう。

例　Q：今天　热得　怎么样？
Jīntiān rède zěnmeyàng？

A：今天　热得　好像　夏天　一样。
Jīntiān rède hǎoxiàng xiàtiān yíyàng.

电脑・小・笔记本
diànnǎo·xiǎo·bǐjìběn

他・长・中国人
tā·zhǎng·Zhōngguórén

她・唱・歌手
tā·chàng·gēshǒu

他・跑・长颈鹿
tā·pǎo·chángjǐnglù

＊长：成長する、育つ　歌手：歌手　长颈鹿：キリン

♪87

死记硬背 sǐjì yìngbèi

今天你好像挺高兴似的。

恭喜恭喜！

我们开车出去玩儿。

你有兄弟姐妹吗？

弟弟比妹妹大两岁。

原来如此。

课外作业 kèwài zuòyè

一、背诵课文和“死记硬背”部分。

二、预习第 16 课“生词词组”。

三、把以下汉语翻译成日语。

1. 外边好像下雨了。
2. 恭喜你拿到驾照了。
3. 我跟妹妹一样，都喜欢看书。
4. 中国的报警电话号码好像和日本的一样。
5. 我比他早一个月拿到驾照。(早 zǎo: 早い、早く)

四、把以下日语翻译成汉语。

1. あの姉妹はまるで双子のようです。
2. 聞く方が読むより難しいです。
3. あなたの部屋番号は私の番号と同じです。
4. 近頃ごたごたしていて、試験の時間も忘れていました。(忘れる：忘 wàng)
5. 今日はとても暖かく、まるで春のようです。

第16课　请把酱油递给我。

Dì shíliù kè　Qǐng bǎ jiàngyóu dìgěi wǒ.

88

生词词组 shēngcí cízǔ

把 bǎ
酱油 jiàngyóu
递 dì
辣油 làyóu
对 duì
辣 là
甜 tián

酸 suān
一点儿都不～ yìdiǎnr dōu bù ～
不好意思 bù hǎoyìsi
让 ràng
久等 jiǔděng
哎呀 āiyā
忘 wàng

一下 yíxià
自己 zìjǐ
被 bèi
弄 nòng
坏 huài

口语会话 kǒuyǔ huìhuà

89

1. A：请　把　酱油　递给　我。
Qǐng bǎ jiàngyóu dìgěi wǒ.

B：给。请　把　辣油　递给　我。
Gěi. Qǐng bǎ làyóu dìgěi wǒ.

A：你　喜欢　吃　辣油　吗？
Nǐ xǐhuan chī làyóu ma？

B：对，我　喜欢　吃　辣　的，你　呢？
Duì, wǒ xǐhuan chī là de, nǐ ne？

A：我　喜欢　吃　甜　的。
Wǒ xǐhuan chī tián de.

B：酸　的　呢？
Suān de ne？

A：一点儿　都　不　喜欢。
Yìdiǎnr dōu bù xǐhuan.

B：我　也　不　喜欢。
Wǒ yě bù xǐhuan.

♪90

2. A：不 好意思， 让 你 久等 了。
Bù hǎoyìsi, ràng nǐ jiǔděng le.

B：哪里 哪里， 我 也 是 刚 到 的。
Nǎli nǎli, wǒ yě shì gāng dào de.

A：你 叫 山本 了 吗？
Nǐ jiào Shānběn le ma?

B：哎呀， 我 忘了。
Āiyā, wǒ wàngle.

A：你 现在 给 他 打 个 电话 吧。
Nǐ xiànzài gěi tā dǎ ge diànhuà ba.

B：好 吧。 把 你 的 手机 让 我 用 一下 吧。
Hǎo ba. Bǎ nǐ de shǒujī ràng wǒ yòng yíxià ba.

A：你 自己 的 手机 呢？
Nǐ zìjǐ de shǒujī ne?

B：被 我 弄坏 了。
Bèi wǒ nònghuài le.

语法说明 yǔfǎ shuōmíng

1.「～が～を～する」介詞“把 bǎ”—特定の物・人に対して、働きかけをする言い方

请 把 你 的 字典 借给 我 一下。
Qǐng bǎ nǐ de zìdiǎn jiègěi wǒ yíxià.

我 把 这 本 书 看完 了。
Wǒ bǎ zhè běn shū kànwán le.

2.「誰々に～させる」—使役の言い方　動詞“让 ràng（使 shǐ，叫 jiào）”

让 我 自我 介绍 一下。
Ràng wǒ zìwǒ jièshao yíxià.

＊自我介绍：自己紹介（する）

3．「AがBに～される」―受身の言い方　介詞“被 bèi (叫 jiào, 让 ràng)”

我　的　自行车　被　风　吹倒　了。
Wǒ de zìxíngchē bèi fēng chuīdǎo le.

＊风：風　吹倒：吹き倒す

课堂练习 kètáng liànxí

① “把”を使って文を作ろう。

例　Q：你　把　作业　做完　了　吗？
Nǐ bǎ zuòyè zuòwán le ma？

A：我　把　作业　刚　做完　了。
Wǒ bǎ zuòyè gāng zuòwán le.

		名　詞	否定など状語	動　詞	処置の結果など
主語	把	这本小说	刚才 gāngcái	看 kàn	了两遍 le liǎng biàn
		垃圾 lājī	已经 yǐjīng	扔 rēng	了 le
		衣服 yīfu	下午 xiàwǔ	洗 xǐ	完了 wánle
		他 tā	……	介绍 jièshào	一下 yíxià

＊垃圾：ゴミ　刚才：先ほど、今しがた　扔：捨てる　介绍：紹介する

② “被”を使って、受け身の文を作ろう。

例　Q：(你　的)　电脑　怎么　了？
(Nǐ de) diànnǎo zěnme le？

A：(我　的)　电脑　被 (他)　弄坏　了。
(Wǒ de) diànnǎo bèi (tā) nònghuài le.

电视・关
diànshì·guān

衣服・弄脏
yīfu·nòngzāng

橡皮・借走
xiàngpí·jièzǒu

点心・吃完
diǎnxin·chīwán

＊弄脏：汚す　橡皮：消しゴム　借走：借りていく　点心：お菓子

♪ 91

死记硬背 sǐjì yìngbèi

请把酱油递给我。

我喜欢吃蛋糕。

不好意思，让你久等了。

我也是刚到的。

请把你的手机让我用一下吧。

课外作业 kèwài zuòyè

一、背诵课文和“死记硬背”部分。

二、预习第 17 课“生词词组”。

三、把以下汉语翻译成日语。

1. 把作业做完了再去玩儿。(再 zài：それから)
2. 让山本把字典拿来。
3. 我刚买来一部手机。(部 bù：〈機器を数える〉台)
4. 把你的自行车让我用一下。
5. 对不起，请把这个月的话费缴了。(话费 huàfèi：通話料金、缴 jiǎo：納める)

四、把以下日语翻译成汉语。

1. 私たちにパソコンを教えてくださる先生はどの方ですか。
2. ケーキは妹に食べられました。
3. あなたの宿題を見せてくれませんか。
4. 自己紹介させていただきます。
5. 申し訳ありませんが、お金を払うのを忘れました。(お金を払う：付钱 fù qián)

第17课　听说 这里 冬天 雪 很 大。

Dì shíqī kè　Tīngshuō zhèli dōngtiān xuě hěn dà.

♪ 92

生词词组 shēngcí cízǔ

天 tiān
变 biàn
下雪 xià xuě
起 qǐ
看样子 kàn yàngzi
恐怕 kǒngpà
要 yào
晚上 wǎnshang
听说 tīngshuō
冬天 dōngtiān
干燥 gānzào
暖和 nuǎnhuo
可怕 kěpà
敢 gǎn
不错 búcuò
是～，就是～ shì～, jiùshì ～

口语会话 kǒuyǔ huìhuà

♪ 93

1. A：天 变了，下起 雪 来 了。
Tiān biànle, xiàqǐ xuě lái le.

B：看 样子 恐怕 要 下 一 个 晚上。
Kàn yàngzi kǒngpà yào xià yí ge wǎnshang.

A：听说 这里 冬天 雪 很 大，是 吗？
Tīngshuō zhèli dōngtiān xuě hěn dà, shì ma？

B：对。你们 那里 怎么样？
Duì. Nǐmen nàli zěnmeyàng？

A：我们 那里 很 干燥，一 个 冬天 什么 都 不 下。
Wǒmen nàli hěn gānzào, yí ge dōngtiān shénme dōu bú xià.

B：那 一定 很 暖和 吧？
Nà yídìng hěn nuǎnhuo ba？

A：一点儿 也 不 暖和，比 哪儿 都 冷。
Yìdiǎnr yě bù nuǎnhuo, bǐ nǎr dōu lěng.

B：太 可怕 了。我 不 敢 去 了。
Tài kěpà le. Wǒ bù gǎn qù le.

♪94

2．A：听说　伊藤　到　中国　留学　去　了。
Tīngshuō Yīténg dào Zhōngguó liúxué qù le.

B：是　的，她　到　北京　留学　去　了。
Shì de, Tā dào Běijīng liúxué qù le.

A：她　到　哪个　大学　去　了？
Tā dào nǎge dàxué qù le ?

B：听说　是　北京师范大学。
Tīngshuō shì Běijīngshīfàndàxué.

A：好　大学　吧？
Hǎo dàxué ba ?

B：听说　不错。
Tīngshuō búcuò.

A：你　也　想　去　留学　吗？
Nǐ yě xiǎng qù liúxué ma ?

B：想　去　是　想　去，就是　恐怕　不　能　去。
Xiǎng qù shì xiǎng qù, jiùshì kǒngpà bù néng qù.

语法说明 yǔfǎ shuōmíng

1．現象を表す文、存在・出現・消失を表す文（主語の無い文）―「～が」にあたる語が賓語（目的語）となる

外边　刮　风　了。
Wàibiān guā fēng le.

教室里　坐着　十　个　学生。
Jiàoshìli zuòzhe shí ge xuésheng.

＊刮风：風が吹く

2．疑問詞の慣用表現

他　什么　都　知道。　你　需要　什么　给　什么。
Tā shénme dōu zhīdào. Nǐ xūyào shénme gěi shénme.

＊需要：必要とする　　给：与える、あげる

3．「恐らく（たぶん）～だ」―予測の表現

明天　恐怕　要　下　雪。　她　也许　不　能　跟　我们　一起　去　了。
Míngtiān kǒngpà yào xià xuě.　Tā yěxǔ bù néng gēn wǒmen yìqǐ qù le.

＊也许：もしかしたら～かも知れない

4．「聞くところによると～だ（そうだ）」―伝聞の表現

听说　你　明年　要　去　中国　留学，　是　吗？
Tīngshuō nǐ míngnián yào qù Zhōngguó liúxué, shì ma?

5．副詞“就 jiù”のまとめ

意　味	例　文
すぐに～	我们现在就吃饭。 Wǒmen xiànzài jiù chī fàn.
ほかでもなく～	这就是我们大学的图书馆。 Zhè jiùshì wǒmen dàxué de túshūguǎn.
～ならば～だ	要是你不去，我也就不去了。 Yàoshi nǐ bú qù, wǒ yě jiù bú qù le.
～、ただ（ただし）～	汉语挺有意思，就是有点儿难。 Hànyǔ tǐng yǒuyìsi, jiùshì yǒudiǎnr nán.
～だけ	这里就我一个人。 Zhèli jiù wǒ yí ge rén.

课堂练习 kètáng liànxí

① “恐怕～不（没）～”、“也许”を使って文を作ろう。

例　Q：她　来　吗？　　A：恐怕　她　不　来。
　　　Tā lái ma?　　　　Kǒngpà tā bù lái.

明天天气・好
míngtiān tiānqì·hǎo

她・发烧
tā·fāshāo

周末・忙
zhōumò·máng

东西・好买
dōngxi·hǎomǎi

＊发烧：熱が出る　　好买：買いやすい

② 疑問詞を使って文を作ろう。

什么	多少	什么时候	怎么	怎样	谁	哪儿

例 Q：你 喜欢 什么？
Nǐ xǐhuan shénme？

A：我 什么 都 喜欢。
Wǒ shénme dōu xǐhuan.

例 Q：他 能 吃 多少？
Tā néng chī duōshao？

A：有 多少 他 都 能 吃。
Yǒu duōshao tā dōu néng chī.

例 Q：你们 什么 时候 能 发 邮件？
Nǐmen shénme shíhou néng fā yóujiàn？

A：我们 什么 时候 都 能 发 邮件。
Wǒmen shénme shíhou dōu néng fā yóujiàn.

例 Q：这 件 事 怎么 做 好？
Zhè jiàn shì zěnme zuò hǎo？

A：这 件 事 怎么 做 都 行。
Zhè jiàn shì zěnme zuò dōu xíng.

例 Q：谁 可以 来？
Shéi kěyǐ lái？

A：谁 都 可以 来 啊。
Shéi dōu kěyǐ lái a.

例 Q：哪儿 有 自动 售货机？
Nǎr yǒu zìdòng shòuhuòjī？

A：哪儿 都 有 自动 售货机。
Nǎr dōu yǒu zìdòng shòuhuòjī.

＊自动售货机：自動販売機

♪ 95

死记硬背 sǐjì yìngbèi

天变了，下起雪来了。

看样子恐怕要下一个晚上。

听说这里冬天雪很大。

今年一点儿也不暖和。

听说伊藤到中国留学去了。

想去是想去，就是恐怕不能去。

课外作业 kèwài zuòyè

一、背诵课文和“死记硬背”部分。

二、预习第 18 课“生词词组”。

三、把以下汉语翻译成日语。

1. 现在太晚了，明天去吧。(晚 wǎn: 遅い)
2. 听说今年冬天可能很冷。
3. 山本现在恐怕已经到家了。
4. 我们那里冬天不下雪，很干燥。
5. 听说北京烤鸭不错，你吃过吗？

四、把以下日语翻译成汉语。

1. 何でも習いたかったのですが、何もうまくできませんでした。
2. あなたは免許を取ったそうですが、本当ですか。
3. 勉強したいことはしたいですが、時間がありません。
4. 見たところ、今日は李さんは来なさそうです。
5. 李さんは明日も来ないそうです。

第18课　你是喝茶还是喝咖啡？

Dì shíbā kè　Nǐ shì hē chá háishi hē kāfēi ?

♪ 96

生词词组 shēngcí cízǔ

茶 chá
还是 háishi
咖啡 kāfēi
乌龙茶 wūlóngchá
茉莉花茶 mòlìhuāchá
边…边～ biān…biān～
瓜子儿 guāzǐr
一…就～ yī…jiù～
睡觉 shuìjiào
睡不着觉 shuìbuzháojiào
虽然…但是～ suīrán…dànshì～
觉得 juéde
除了…以外 chúle…yǐwài
简单 jiǎndān
因为…所以～ yīnwèi…suǒyǐ～
汉字 Hànzì
意思 yìsi
容易 róngyì
发音 fāyīn
好好儿 hǎohāor
练习 liànxí
越…越～ yuè…yuè～
可是 kěshì
连…都～ lián…dōu～
信心 xìnxīn
不但…而且～ búdàn…érqiě～
还 hái
用好 yònghǎo

口语会话 kǒuyǔ huìhuà

♪ 97

1. A：你　是　喜欢　喝　茶　还是　喜欢　喝　咖啡？
Nǐ　shì　xǐhuan　hē　chá　háishi　xǐhuan　hē　kāfēi ?

B：我　喜欢　喝　茶。
Wǒ　xǐhuan　hē　chá.

A：你　喜欢　喝　乌龙茶　吗？
Nǐ　xǐhuan　hē　wūlóngchá　ma ?

B：我　喜欢　喝　茉莉花茶。
Wǒ　xǐhuan　hē　mòlìhuāchá.

A：我　也　喜欢　喝　茉莉花茶。
Wǒ　yě　xǐhuan　hē　mòlìhuāchá.

B：听说　中国人　喜欢　边　喝　茶　边　吃　瓜子儿。
Tīngshuō　Zhōngguórén　xǐhuan　biān　hē　chá　biān　chī　guāzǐr.

A：我　喜欢　边　喝　茶　边　看　书。
Wǒ　xǐhuan　biān　hē　chá　biān　kàn　shū.

B：我　晚上　一　喝　茶　就　睡不着觉。
Wǒ　wǎnshang　yì　hē　chá　jiù　shuìbuzháojiào.

♪98　2．A：虽然　学了　一　年　了，　但是　我　还是　觉得　汉语　很　难。
Suīrán　xuéle　yì　nián　le,　dànshì　wǒ　háishi　juéde　Hànyǔ　hěn　nán.

B：除了　发音　以外，我　觉得　比　英语　简单。
Chúle　fāyīn　yǐwài,　wǒ　juéde　bǐ　Yīngyǔ　jiǎndān.

A：那　是　因为　有　汉字，所以　意思　容易　懂。
Nà　shì　yīnwèi　yǒu　Hànzì,　suǒyǐ　yìsi　róngyì　dǒng.

B：你　说得　对。但是　发音　发不好，就　觉得　没　学好。
Nǐ　shuōde　duì.　Dànshì　fāyīn　fābuhǎo,　jiù　juéde　méi　xuéhǎo.

A：发音　要　好好儿　练习。越　练习　越　能　发好。
Fāyīn　yào　hǎohāor　liànxí.　Yuè　liànxí　yuè　néng　fāhǎo.

B：我　可是　连　一点儿　信心　都　没　有。
Wǒ　kěshì　lián　yìdiǎnr　xìnxīn　dōu　méi　yǒu.

A：我　不但　有　信心　学好　汉语，而且　还　有　信心　用好　汉语。
Wǒ　búdàn　yǒu　xìnxīn　xuéhǎo　Hànyǔ,　érqiě　hái　yǒu　xìnxīn　yònghǎo　Hànyǔ.

B：你　太　了不起　了。
Nǐ　tài　liǎobuqǐ　le.

语法说明 yǔfǎ shuōmíng

1．“是”…，“还是”～（…か、それとも～か）

请问　您　是　喝　茶，还是　喝　咖啡？
Qǐngwèn nín　shì　hē　chá,　háishi　hē　kāfēi ?

2．“边”…“边”～（…しながら～する）

她　边　听　音乐　边　看　书。
Tā　biān　tīng　yīnyuè　biān　kàn　shū.

3．“除了”…“以外”～（…のほかは～）

除了 小 李 以外，我们 都 是 日本人。
Chúle Xiǎo Lǐ yǐwài, wǒmen dōu shì Rìběnrén.

4．“连”…“也”（“都”）～（…さえも～）

我 连 一 句 英语 都 不 会 说。
Wǒ lián yí jù Yīngyǔ dōu bú huì shuō.

5．“一”…“就”～（…するとすぐに～）

这 本 书 我 一 看完 就 还给 你。
Zhè běn shū wǒ yí kànwán jiù huángěi nǐ.

6．“越”…“越”～（…すればするほど～）

我 越 学 越 喜欢 汉语 了。
Wǒ yuè xué yuè xǐhuan Hànyǔ le.

7．“虽然”…，“但是”～（…だが、しかし～）

虽然 我 已经 学了 一 年 汉语 了，但是 我 还 说得 不 好。
Suīrán wǒ yǐjīng xuéle yì nián Hànyǔ le, dànshì wǒ hái shuōde bù hǎo.

8．“不但”…，“而且”～（…だけでなく、しかも～）

他 不但 会 电脑，而且 还 会 开车。
Tā búdàn huì diànnǎo, érqiě hái huì kāichē.

9．“因为”…，“所以”～（…なので、だから～）

昨天 我 因为 感冒 了，所以 没 来 上 课。
Zuótiān wǒ yīnwèi gǎnmào le, suǒyǐ méi lái shàng kè.

课堂练习 kètáng liànxí

① “是”…，“还是”～

例 Q：这 是 南边 还是 北边？　　A：这 是 北边。
Zhè shì nánbiān háishi běibiān ?　　Zhè shì běibiān.

・東西の方向を聞く。

・相手が好きなのは英語か中国かを聞く。

・相手がラジオが好きか、テレビが好きかを聞く。（ラジオ：收音机 shōuyīnjī）

・明日の天気はよいか悪いかを聞く。

② “一”…“就”～

例 Q：你 下课 后 干 什么？ A：我 一 下课 就 回家。

Nǐ xià kè hòu gàn shénme? Wǒ yí xià kè jiù huí jiā.

回家・休息
huíjiā·xiūxi

下课・发邮件
xià kè·fā yóujiàn

吃饭・打盹儿
chī fàn·dǎdǔnr

见她・想笑
jiàn tā·xiǎng xiào

＊休息：休憩する　打盹：居眠りをする　笑：笑う

③ “越”…“越”～

例 Q：牛肉 怎么样？ A：牛肉 越 来 越 贵。

Niúròu zěnmeyàng? Niúròu yuè lái yuè guì.

东西・贵
dōngxi·guì

电视・没意思
diànshì·méi yìsi

学习・进步
xuéxí·jìnbù
（進歩する）

收入・高
shōurù·gāo
（収入、所得）

④ “因为”…，“所以”～

例 Q：你 为什么 不 去 了？

Nǐ wèishénme bú qù le?

A：因为 下 雨 了，所以 我 不 去 了。

Yīnwèi xià yǔ le, suǒyǐ wǒ bú qù le.

原因・理由	結　果
明天刮台风 míngtiān guā táifēng	学校放假 xuéxiào fàngjià
我感冒 wǒ gǎnmào	请假 qǐngjià
姐姐结婚 jiějie jiéhūn	回老家两天 huí lǎojiā liǎng tiān

＊台风：台風　放假：休みになる　请假：休みをもらう

结婚：結婚する　老家：生家、故郷

♪ 99

死记硬背 sǐjì yìngbèi

你是喝咖啡还是喝茶？

虽然学了一年了，但是我还是觉得汉语很难。

发音越练习越好。

听说中国发展越来越快了。（发展 fāzhǎn：発展する）

不但去中国旅行的人多，而且到中国去留学和工作的人也很多。（旅行 lǚxíng：旅行、工作 gōngzuò：仕事をする）

他什么都知道。

课外作业 kèwài zuòyè

一、背诵课文和“死记硬背”部分。

二、把下列汉语翻译成日语。

1. 除了山本以外，我们都不会开车。
2. 虽然三月了，但是天气还很冷。
3. 因为汉语里有汉字，所以我觉得很有意思。
4. 不但会英语而且汉语也很好。
5. 一下课就回家了。

三、把以下日语翻译成汉语。

1. あなたがここに来ますか、それとも私があなたの所に行きますか。
2. 日本語は勉強すればするほど難しくなりました。
3. 彼の話す中国語は少し分かります。
4. ご飯ばかりでなく、麺も大好きです。
5. 冬は雪がよく降りますから、空気が乾燥しません。

語句索引

この索引は、発音練習語句、“生词词组”、ポイント語句、練習問題語句などをピンイン順に配列した。数字は初出のページ数を表す。

著者
齋藤匡史（山口大学名誉教授）
何 暁 毅（山口大学教授）
袁 麗 暉（山口大学准教授）

表紙デザイン：宇佐美佳子／イラスト：モリノサカナ

新版　中国語スタンダード［コミュニケーション編］ 音声ダウンロード

2006年 4月4日　初版第1刷発行
2020年 4月7日　新版第1刷発行
2022年 3月30日　新版第3刷発行
著　者　齋藤匡史・何暁毅・袁麗暉
発行者　佐藤康夫
発行所　白 帝 社
〒171-0014 東京都豊島区池袋 2-65-1
TEL　03-3986-3271
FAX　03-3986-3272（営）／ 03-3986-8892（編）
http://www.hakuteisha.co.jp
組版　モリモト印刷株式会社　　印刷・製本　大倉印刷株式会社

Printed in Japan〈検印省略〉6914　　ISBN 978-4-86398-354-0
＊定価は表紙に表示してあります。